U0110061

開卷有緣

——桑農讀書隨筆

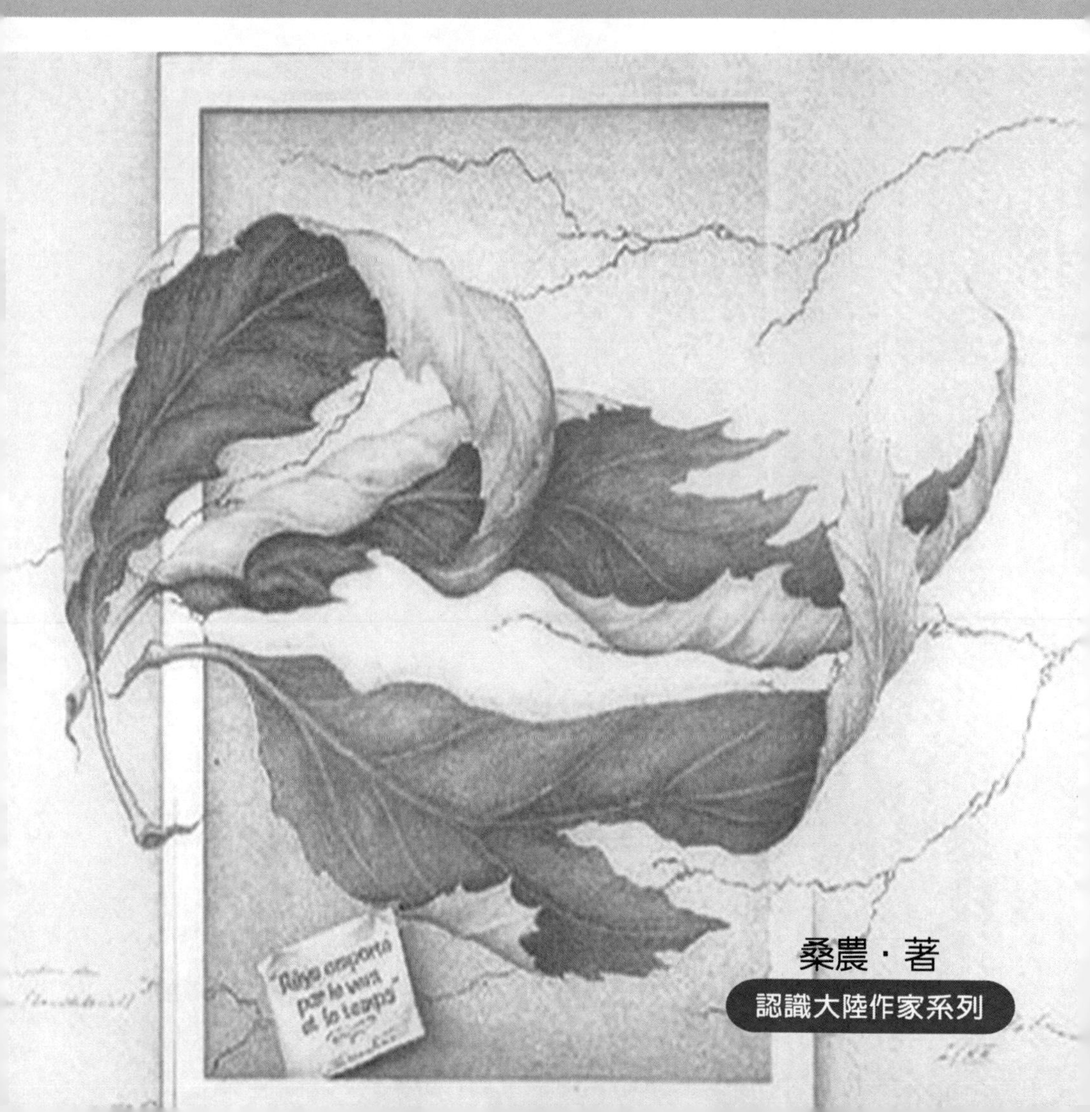

桑農・著

認識大陸作家系列

卷首語

隨著電子信息技術的迅猛發展，電子書的流行，勢在必然。然而，紙本書不會像當年的竹簡、帛書那樣，被迅速淘汰。同為實體書，竹簡、帛書的所有功能，紙本書都具備，且又有更大的便利，完全可以取而代之。紙本書與電子書的形式，則截然不同。紙本書是可觸及的，一卷在握，一目了然；電子書卻是虛擬的，藏在一個機器裏，只有靠鍵盤才能被顯示、被閱讀。對於前者，文字的修訂或增刪，會形成一個新的版本；對於後者，任何內容都可以被抹去、改變、擴展而不露痕跡。比較而言，紙本書仍有著不可取代的優勢。何況，書籍的形式，還關係到閱讀的情趣。王佐良說：「黑色的文雅字體印在雪白的紙上，其美學效果也還不是螢幕上的電腦字體所能代替的。」博爾赫斯也說過：「人們取來一本書，打開它，這本身就有美學的含義。」

這本小冊子彙集的文章都在報刊上發表過，現據電腦裏的存稿編訂。能從電子文檔轉化為紙本書，要感謝朱曉劍先生的友情推薦，感謝蔡登山先生安排出版事宜，感謝秀威資訊科技股份有限公司細緻的工作。但願讀者拿著、打開、翻動、瀏覽以及合上這本書的同時，也體驗到一種審美的愉悅。

二〇一〇年二月二十八日於玲瓏閣

目　次

卷二　書人偶識

卷三　書邊瑣記

卷一

書話雜談

書話中的魯迅傳統

林賢治先生編注的《魯迅：刀邊書話》是一本魯迅書話選，書名取自魯迅的詩句「怒向刀邊（一作叢）覓小詩」。「編選說明」中說：「本書以『刀邊』命名，乃為凸顯作者『立意在反抗』的本意，而有別坊間惟以知識見長的書話。」

魯迅的書話類文章，其實也以知識見長。不過，這知識不是為了「雅」或「有趣」，而是為了「清醒」。針對當年有人推崇明清小品、語錄，魯迅建議多去翻一翻野史筆記，了解一些文禍書厄，明白「遺留至今的奴性的由來」，不至於「由聾而啞」。《買〈小學大全〉記》、《隔膜》、《病後雜談》、《讀書忌》、《隨便翻翻》等名篇，無論在內容還是在形式上，都堪稱書話寫作的範本，值得悉心揣摩。而《從幫忙到扯淡》中的一段話，尤其令人警醒：「……亂點古書，重抄笑話，吹拍名士，拉扯趣聞，而居然不顧臉皮，大擺架子，反自以為得意，——自然也還有人以為有趣，——但按其實，卻不過『扯淡』而已。」

在當今讀書界，魯迅的名位儘管很高，真正能領會和傳承其精義的人卻極少。魯迅所深惡痛絕的「扯淡」文章，反而充斥著各類出版物。林賢治編注這冊書名寒氣逼人的選本，想來正是希望弘揚魯迅書話的傳統，匡正當下的文風，乃至世風。

《文匯讀書週報》二〇〇七年十二月二十一日

唐弢書話舉例

說起唐弢對書話文體的規範，常會提到所謂四個「一點」，即「一點事實，一點掌故，一點觀點，一點抒情的氣息」。這雖然是他個人的經驗，對後來的書話寫作卻有著不小的影響。當然，也有人並不完全認同。但贊成也罷，反對也罷，都是後人的立場和態度。對於唐弢本人而言，關鍵在於他的理論與實踐是否相合。有些作者寫得很好，說不出道理；有些作者說得頭頭是道，寫出來又不是那麼回事。如果用他的標準去衡量他的作品，往往令人大跌眼鏡。唐弢這裏，情況又是如何呢？還是來看看具體的例子。

下面是《晦庵書話》中《〈春蠶〉改訂》一則的全文：

> 小說中我頗喜歡茅盾的短篇，不知道是不是因為同是浙江人，鄉土氣息，素所習見，讀來遂覺親切有味的緣故。總之，我覺得他寫的農村和我十分稔熟，所以尤愛他的《春蠶》。《春蠶》由開明書店出版，初版收《春蠶》、《秋收》、《小巫》、《林家鋪子》、《右第二章》、《喜劇》、《光明到來的時候》、《神的滅亡》等八篇。再版時於書背加印「訂正本」字樣，內容卻刪去《秋收》、《喜劇》、《光明到來的時候》三篇，可見這所謂訂正，與讀者無關，而是只對檢查老爺說的。我

平生讀書，不喜節本，對於這種「訂正」，想起來更是不大舒服。

這則書話分五個完整的句子，因一、二句語義連貫，實際上可分為四個意義單元。而這四個單元，又似乎與四個「一點」可以一一對應。第三句寫《春蠶》一書由何處出版，收哪些篇目，可謂「一點事實」；第四句寫「訂正本」的刪節及其原因，關係到當時出版界的狀況，可謂「一點掌故」；第五句寫自己對節本、尤其對這種「訂正」的態度，可謂「一點觀點」；第一、二句寫對《春蠶》的喜愛，熟悉、親切的記憶和情感，可謂「一點抒情的氣息」。唐弢的書話觀，在此得到完全的印證。

言行一致，名副其實，唐弢的書話，至少在《〈春蠶〉改訂》這一則中，是不折不扣地做到了。

《文匯讀書週報》二〇〇七年三月三十日

潛心故紙堆

上海有條文化街叫福州路，福州路上有個古籍書店，古籍書店樓上有個博古齋，博古齋裏坐著一位滬上古舊書業稱作「老法師」的虎闈先生。

其實，虎闈先生並不「老」，原屬「知青」那一代。在讀書無用的上山下鄉之際，偏偏養成了讀書的習慣。回城後，即被分配到上海圖書公司，歷經期刊庫、舊書店、收購處等職，整日埋頭於故紙堆間。多年堅持不懈的鑽研，使他積累大量鑒別新文學版本的知識和經驗，在舊書業界有了一定的名望。《舊書鬼閒話》一書的出版，又使他躋身於書話名家的行列。

虎闈先生很謙虛，常說自己弄得不深，不及姜德明、朱金順、陳子善、龔明德他們。可實際上，他自己的書話也還是別有一番特色的。作為「世界級城市」古舊書業的一線人員，虎闈先生每日經手的珍本、善本，接觸的前來淘書的名流、專家，都為他的書話寫作提供了豐富的資源。這種得天獨厚的優勢，是其他書話作者很難具備的。而正是這方面的內容，構成了《舊書鬼閒話》最吸引讀者的亮點。

有這樣好的條件，按理說，虎闈先生應該著述頗豐了。然而，《舊書鬼閒話》卻是他從業以來的第一部書話集。個中原因，不在於他疏於筆墨，而在於他下筆謹慎。書中引了姜德明的一句話：「寫作時我注意到不講或少講別人講過的話，否則對於讀者和個人都是無益的。」作者說，這也是他堅持的「書話遊戲規則之底線」。在今天，到處充滿文化泡沫，東拼西湊之作隨處可見，連抄襲剽竊現象也絡繹不絕，像他這樣在寫作上嚴以律己的人，真是越來越少了。

《舊書鬼閒話》裏的文章，當然未必篇篇都是精品。但書中豐富的版本史料和有趣的收藏故事，總會讓你感到有所收穫、有所啟發。即使想一下，在浮華喧鬧的大都市，作者靜坐在汗牛充棟的古舊書刊之間，默守書香，心無旁騖，一點一滴地記下潛心故紙堆的心得，這樣一本書話，也是值得所有藏書人和愛書人閱讀乃至珍藏的。

《新京報・書評週刊》二〇〇五年十二月九日

補說「愛書家」

臺灣讀書界的情況，我不了解，只知道那邊有幾位作者的書在大陸頗受歡迎。例如，吳興文談藏書票收藏的，鍾芳玲介紹書店風景的，以及陳建銘翻譯的書話（book chat）。前兩者都是圖文書，印刷精美，令人驚豔；我卻更看好後者。西方書話類著作，大陸也有零星的譯介，可大多不盡人意。陳建銘翻譯的《查令十字路 84 號》、《藏書之愛》、《嗜書癮君子》，都稱得上書話精品，譯文流暢，注釋詳盡，特別是人名、書名和術語附有原文，很難得，也很有用。

我曾寫過一篇題為《愛書家》的小文，說近來常聽人講什麼「書愛家」，疑心是「愛書家」的變體；而中國最早使用愛書家一詞的，應該是葉靈鳳。早在出版於一九三六年的《讀書隨筆》中，他就談到「真正的愛書家」，後來還寫過《愛書家謝澹如》、《愛書家的小說》等文。何謂愛書家呢？按葉靈鳳的說法：「他必定是一個在廣闊的人生道上嚐遍了哀樂，而後才走入這種狹隘的嗜好以求慰藉的人。他固然重視版本，但不是為了市價；他固然手不釋卷，但不是為了學問。他是將書當作了友人，將讀書當作了和朋友談話一樣的一件樂事。」

我當時懷疑愛書家這一稱謂，並非葉靈鳳的原創，應該是從外文翻譯過來的。因為他還提到兩本今天難得一見的英文書：一是威廉・塔爾格選輯的《愛書家的遊樂輪》，一是茲魏格（今譯茨威格）

作品的英譯本《舊書販及其他，給愛書家的故事》。葉靈鳳沒有注出原文，書名中的愛書家一詞到底是 Bibliophile，還是 booklover，不得而知。我在那篇小文裏說，如果是 booklover，望文生義，倒是可以直譯為「書愛家」的。

陳建銘翻譯《嗜書癮君子》一書的注釋裏，提到威廉・塔格編的《愛書人狂歡宴》，即葉靈鳳所謂《愛書家的遊樂輪》，此處注出的書名原文是 Carrousel for Bibliophiles。原來葉靈鳳說的愛書家不是 booklover，而是 Bibliophile。這個單詞，按字典的解釋是「愛書者，藏書家」（A lover of books；A collector of books）。至於 carrousel 一詞，字典的解釋是「（遊藝場中的）旋轉木馬」，所以葉靈鳳譯為「遊樂輪」。然而，carrousel 也可能是 carousel 的變體，意思是「狂歡宴會」，陳建銘大概據此譯為「狂歡宴」的吧。不知兩人的譯文，哪個更符合原作的意思？

不管怎樣，葉靈鳳所謂愛書家的英文即 Bibliophile，是確定無疑的。這個單詞，原來也有藏書家的意思。但在葉靈鳳心目中，愛書家有別於藏書家，也有別於讀書家（張之洞《書目答問》卷二有云：「乃藏書家所貴，非讀書家所亟。」）。他曾經說：「讀書家必然就是愛書家，而坐擁萬卷的藏書家卻未必一定是一位讀書家，更未必是懂得愛書三昧的愛書家。」他還說：「所謂『佞宋』，實在是最狹義的講求版本，夠不上稱為一個愛書家，更談不上讀書家了。」將愛書家與藏書家以及讀書家區別開來，應該是葉靈鳳自己的發明了。

《文匯讀書週報》二〇〇九年五月八日

書蟲閒話

最近，見到某出版社推出幾種「談書的書」，冠名「書蟲系列」，又記起一家外文出版社曾出過一套「牛津書蟲系列」。書蟲的英文即bookworm，也有書呆子的意思。讀書人喜歡自比書蟲，並用來當書名，中外都是這樣。我國有《蠹魚篇》、《銀魚集》，日本有《紙魚繁昌記》，英國也有 The Pleasures of A Bookworm（《書蠹樂趣》）等。

葉靈鳳翻譯過英國人威廉・布列地斯的小冊子《書的敵人》，第一章即「蠹魚」。既有旁徵博引，又有實際考察，細緻而有趣。不過，葉靈鳳認為「美中不足」的是，「我們這個東方文明古國有關蠹魚的一切記載，都被遺漏了不曾採用。」

我國古代文獻中，除了《爾雅・釋蟲》裏的一條，人們熟悉的怕只有關於「脈望」的兩則筆記。《酉陽雜俎》有云，蠹魚三食神仙字，化為脈望。服之，即可換骨成仙。某書生於卷中得一脈望，不識，燒之。後聽人說及，取書查看，蠹漏處果然皆「神仙」二字，後悔得哭了。《北夢瑣言》裏的故事更為誇張，說某少年得知類似傳聞，便將書上「神仙」二字剪碎，捉來蠹魚，一起放在瓶中，希望蟲能食字，然後自己再食蟲，結果得了神經病。《書的敵人》也有將蠹魚裝在盒子裏的記述，作者卻是要觀察它的習性，並作實驗性的記錄。對其而言，我們古人的那點癡想，實在沒什麼好「採用」的。

我國文人對書蠹本身似乎毫無興趣，對它的境遇卻非常妒羨。《鴻臚寺野談》云：「關中非無積書之家，往往柬之庋閣，以飽蠹魚，既不假人，又不觸目，至畀諸灶下，以代蒸薪，餘每恨蠹魚之不若也。」《老殘遊記》裏的老殘，到某藏書樓訪書被拒，題詩抱怨道：「滄葦遵王士禮居，藝芸精舍四家書，一齊歸入東昌府，深鎖嫏嬛飽蠹魚。」

《書的敵人》有一段，寫在牛津大學圖書館 Bodleian（葉靈鳳譯為「鮑德萊安藏書樓」）查閱珍本，發現兩隻書蠹。作者只是客觀地記敘了事情的經過，未加評論。事隔七十多年之後，一個叫錢鍾書的中國學生來牛津求學，他整天泡在這座圖書館裏，並將館名音義兼備地譯為「飽蠹樓」。

《書人》二〇〇七年第二期

細察書影說毛邊

唐弢《晦庵書話》裏寫道：「我也是毛邊黨黨員之一，購新文藝書籍，常講究不切邊的，買來後親自用刀一張一張的裁開，覺得別有佳趣，許多人嫌麻煩，往往對毛邊書搖頭，……我之愛毛邊書，只為它美——一種參差的美，錯綜的美。也許這是我的偏見吧：我覺得看蓬頭的藝術家總比看油頭的小白臉來得舒服。所以所購取的書籍，也以毛邊的居多。」

這段話其實與魯迅致蕭軍信中所言極為相似：「切光的都送人，省得他們裁，我們自己是在裁著看。我喜歡毛邊本，寧可裁，光邊書像沒有頭髮的人——和尚和尼姑。」

唐弢熱衷毛邊本，無疑是受魯迅的影響。享受邊裁邊讀的樂趣，欣賞參差不齊的美，兩人的愛好完全相合。不同的是，魯迅是自己出書留毛邊，唐弢卻主要是收藏。據統計，魯迅著譯編校近六十種書中，有四十種以毛邊本形式出版過。唐弢的兩萬多冊藏書中，又有多少冊毛邊本呢？最新上市的《唐弢藏書》裏提供了確切的資料，是一千三百冊。

《唐弢藏書》為十六開的圖冊，精選唐弢藏品中的善本兩百種，彩印書影，配以文字說明。令人矚目的是，其中注明為毛邊本的，多達五十七種。《晦庵書話》無論是老版還是新版，都留下一個遺憾，書影模糊不清；《唐弢藏書》中影印封面的圖像和色彩，則基本能夠傳真，毛邊書未切的毛邊也清晰地呈現。對於無緣見到唐弢所藏毛邊本原件的讀者，這還真能起到畫餅充饑的效用。

書中介紹的第一本毛邊書，是一九〇九年在日本東京出版的《域外小說集》。唐弢說：「此書幾乎成了新文學中的『罕見書』，有資格放入新式黃蕘圃的『百宋一廛』裏去了。」從書影上看，這冊被認為是中國最早的毛邊本，是毛在書口和書根，不留書頂。後來新潮社製作的毛邊本，也延續這一形式。到了北新書局大量推出毛邊本，書根的毛邊才移至書頂。當下流行的「地平天毛」，原來還有一個演變的過程。

毛邊書其實是一種舶來品，原名 uncut book。歐洲書店出售這種未切邊的書，專供愛書人買回去自己裝訂。那裏的文具店裏，還可以買到裝訂書籍的各種工具和材料。可見，書的毛邊是留著讓人自己動手裁切的。魯迅等人將之「拿來」後，經過改進，又具備了中國特色：只是在讀的時候用小刀裁開書頁，並不將書邊切齊。由於書要往書架上插放，書根不可不平，所以要求整張折頁時將下邊對齊。所謂「地平天毛」，其實已不是真正的「三面任其本然」，而是需要特別定製的。

從書影上看，毛邊書不同於普通版本，主要在於它獨具個性的外形。延伸出來的毛邊大多蓬蓬茸茸的，展現了一種「拙的美」，一種對整齊劃一的拒絕。毛邊書有時也能激發人們的聯想，如有人稱魯迅雜文集的毛邊彷彿「怒髮衝冠」之類。收藏者對毛邊書感興趣，還在於它數量少，品種珍貴。毛邊書多為初版本，按作者要求特製，有的甚至有編號。作者留著送人，通常又都會親筆題簽。如此結合諸多元素的本子，自然倍受收藏界的青睞。

《唐弢藏書》後記中，將其所藏善本歸納為四種，依此為「毛口書」、「簽名本」、「初版本」和「珍稀本」。毛邊本列在首位，這基本上體現了目前新文學版本收藏的共識。

《文匯讀書週報》二〇〇五年八月二十六日

毛邊愛好者的必備書

沈文冲先生不僅收藏毛邊書，還從各類報刊書籍裏輯錄了許多關於毛邊書的文字，編了一部《毛邊書話》。本打算自費印製，與同好者交流。姜德明寫的代序、陳學勇寫的序言先期發表後，引起不少人的興趣。得到鼓勵與支持，編者開始謀求公開出版，但頗經周折。原因是，某些出版社以為選題偏窄，怕沒有銷路。還是徐雁先生以其一貫敏銳的眼光和魄力，將此書收入「書林清話文庫」第三輯，並代擬書名《毛邊書情調》，使之新鮮出爐。

以為毛邊書的話題沒有市場，無疑體現了出版界對藏書界的隔膜。不僅毛邊的舊書受到熱烈的追捧，新出的書也有做成毛邊的，而且定價還要翻幾番。魯迅倡導的「毛邊黨」，似乎有星火燎原之勢。看一下《毛邊書情調》的文選編年目錄會發現，大量關於毛邊書的文章都是寫於上個世紀八十年代之後。此前，除了魯迅的書信片斷、周作人的幾則按語、唐弢的一篇書話，尚未見什麼有份量的。此後多為專題文章，作者也都是些書界聞人。如唐弢、舒蕪、姜德明、陳原、龔明德、徐雁、谷林、王稼句、范用、吳興文、謝其章、陳子善、朱金順等，都有精彩論述，有人還寫了兩三篇。——如此的陣容，共同的關注，說毛邊書已成為書界的一個熱點，應該不過分。

毛邊書作為書籍裝幀的一種形式，是舶來品。中國古籍裝幀中從沒有這一品種，更不會拿未切邊的書送人或流通。最初引進毛邊書的，公認是周氏兄弟。他們是從日本「拿來」的，而其源頭在歐洲。在它的發源地，毛邊書到底是怎樣的？《毛邊書情調》裏沒有專文介紹。唐弢和陳原的文中都提及法國的毛邊書，可語焉不詳。此外，葉靈鳳譯《書的禮贊》、趙台安和趙振堯譯《聚書的樂趣》、陳建銘譯《嗜書癮君子》等書裏，都常提到收藏毛邊本，也沒有具體的說明。但從這些零星的資料可知，西方的毛邊書要麼毛在書口，要麼毛在書口和書根，即所謂「天齊地毛」。最講究的，還在書頂刷上金粉。至於目前一些人視為正宗的「地齊天毛」，是流傳到中國後的一個變種。當然，哪邊該留毛，哪邊不該留毛，本來就沒有嚴格的規定，也就無所謂什麼正宗不正宗。只是書根平齊，便於插入書架，有人希望這樣，如此而已。

毛邊書在引進之初，就曾引起爭議。《毛邊書情調》裏收錄了《語絲》雜誌和《開明》月刊上兩組討論文章，有喜歡的，有不喜歡的，各持已見，十分激烈。周作人打圓場說：「有人要毛邊，有人不要毛邊，這是個人嗜好問題，不是理論可以解決的，書店的唯一辦法便是訂成毛邊與非毛邊的兩種，讓主顧自由選擇。」魯迅則是一個堅決的「毛邊黨」，對批評的意見不以為然，在私下通信中說：「切光的都送了人，省得他們裁，我們自己是在裁著看。」而當時許多著作者和出版者，並未受爭論的影響，該出毛邊書的照樣出。

從目前新文學版本的藏品看，當年毛邊本並不稀罕；只是上個世紀五十年代以來，這一樣式才難得一見。不過，也不是完全滅絕，一九五七年《詩刊》創刊號就是毛邊的。其編後記還有特別的說明：「《詩刊》的毛邊裝幀，也許需要稍作解釋。抗戰之前，流行過毛邊的出版物。魯迅主編的《莽原》、《奔流》和他著作的《吶喊》、《彷徨》初版，都是毛邊的。我們覺得這種裝幀是美觀的。」然而好景不長，據說廣大人民群眾不接受，認為是半成品，僅此一期，後來就沒有了。

改革開放以後，毛邊本又悄悄出現了。最早的是舊籍重印，如蕭軍、蕭紅的合集《跋涉》和瞿秋白編的《魯迅雜感選集》。而有意推行毛邊本的，是主持三聯書店的范用。他讓該社出版的一批書話留了一部分毛邊本，其中包括唐弢《晦庵書話》、鄭振鐸《西諦書話》、葉靈鳳《讀書隨筆》等名著。之後，致力於做毛邊本的有供職於四川文藝出版社的龔明德。他編輯的《餘時書話》、《董橋文錄》、《凌叔華文存》和「老版本」叢書三種，在藏書界有一定影響。徐雁供職於南京大學出版社時，就編輯出版了毛邊本的《雍廬書話》；最近主編的「讀書台筆叢」、「六朝松隨筆文庫」、「書林清話文庫」，更是蔚為大觀。董寧文主編的「開卷文叢」三輯和「我的」系列四冊，也為毛邊本的流行起了推波助瀾的作用。目前，大大小小的出版社，知名的不知名的作者，出毛邊本已經不是什麼奇怪的事。尤其是書話類的新書，如果不做幾十本毛邊本，反倒令人覺得有些失望了。

在這種形勢下，《毛邊書情調》一書的出版，對於日益增多的毛邊書愛好者，無疑是一件喜訊。

《藏書報》二〇〇七年十月一日

一枚錯版藏書票

最近，有好幾位藏家找到倪建明先生，要購買他十年前製作的一枚藏書票。倪建明正感納悶之際，收到莫斯科藏書票收藏俱樂部主席斯捷潘諾維奇的來信。請外事辦的朋友翻譯後，方知曉事情的原委。

那還是一九九九年，受上海圖書館委託，為紀念普希金誕辰二百周年暨馮春翻譯的《普希金文集》十卷本出版，倪建明創作了一枚藏書票。今年二月，這枚書票在莫斯科舉辦的中國藏書票展上展出。六月，普希金博物館舉辦的紀念普希金誕辰二百一十周年國際代表大會上，又一次展出。同期出版的莫斯科藏書票收藏俱樂部雜誌，也刊登了圖片。消息很快傳到國內，有心的藏家聞風而動。

說起這枚藏書票，與我還有一點關係。當年，倪建明開始構思時，在一家小書店與我偶遇。閒談間，問我能否代找一些素材，因為學校圖書館裏一定有相關資料。於是，我幫他借了幾本普希金的詩集、傳記之類，都是有插圖的。過了一段時間，倪建明託人將書還來，並贈送一枚剛剛做好的藏書票，上面還有他的題簽。

有關藏書票，我只是在一些書話集裏讀過介紹，知道它是一種微型版畫，發源於西方藏書界，後傳入我國。作為收藏者的個性標記，貼在書裏，相當於中國傳統的藏書印。版畫可以拓印多張，但與印刷品不是一回事。因為拓印多了，版芯受損，印出來的效果不好，所以存世數量有限。對於搞收藏的來說，反倒正中下懷，物以稀為貴嘛。為確保某種藏書票的收藏價值，一般都是限量印製，還有印好後當眾毀版的。倪建明的這枚藏書票，據說當時編號限印二百枚，作為普希金誕辰二百周年紀念會禮品贈送。而且，後來還有一段故事。

這個故事，也可稱為事故。細心的藏家在票面上發現了問題，即其中兩處同一個俄文字母，都被錯刻成英文字母「N」。俄語中的那個字，兩豎之間的連線，是從左下角到右上角的。倪建明一時疏忽，正好弄反了。得知這一失誤，他趕忙重新製作，以求換下錯票，並專門寫了一篇創作手記《永遠的遺憾》，收錄在二〇〇五年朝華出版社出版的作品集《文化印象》中。不知道他換回來多少？我的這一枚，當然是初版的錯票。

與同行的作品相比，倪建明藏書票的優勢，不在畫面內容，甚至也不在構圖和色彩方面。他在材料和製作方法上，有自己的特色。為了突破西方流行的模式，展現東方神韻，倪建明選用特製的宣紙。他親自去涇縣，讓廠家根據要求配料加工，把宣紙做得像牛皮紙那麼厚。他還使用中國傳統的版刻工藝，如餖版、拱花等技術，作品帶有明顯的凹凸效果。這必須看原作，才能體察；看複製的印刷品，就很難領略了。據說，出版《文化印象》一書時，先是掃描製版，沒有層次感，不行，後來改用相機翻拍。由於角度和燈光調適得當，書上圖片的視覺效果很逼真。

倪建明以為，無論是收藏還是贈送藏書票，都應該是原作，印刷品是沒有價值的。他曾應朋友之約，製作紀念版的藏書票。朋友拿去印刷了一些，準備送人，請他簽名。雖然礙於友情，最終還是拒絕了，理由是只能在原作上簽名。他簽名的字體也很特別，扁圓型的，與平日裏的書寫不一樣，而且只用鉛筆。我問過，為什麼不用鋼筆或其他類型的筆呢？他回答說，自己也沒有探究過，似乎是國際通例；或許墨水容易滲、容易褪色，而鉛可以嵌入紙裏，簽名能夠保持長久一點吧。

倪建明的作品，在國際藏書票界已有一席之地。他親筆簽名的原版藏書票，而且還是有一段故事的錯票，我能珍藏一枚，算得上幸運了。

《崇文》二〇〇九年第十期

關於《駱駝祥子》初版本

《中國圖書評論》二〇〇九年第一期刊有黃開發、李今《新文學初版本尋訪記》一文，原為即將問世的《中國現代文學初版本圖鑒》一書的後記。文中提到尋找老舍《駱駝祥子》初版本的經歷：

> 《駱駝祥子》是現代文學的經典名著，初版本卻極其難覓。這本書一九三九年三月由上海人間書屋初版，當時正值「孤島」時期，流傳稀少，不但在後方的作者本人未見，甚至到一九七八年十一月，人民文學出版社印行《駱駝祥子》第二版第六印次時，在《出版說明》中，仍誤以為它是一九四一年十一月由文化生活出版社作為「現代長篇小說叢書」出版的。今年元月，黃開發到上海訪書，拜訪了八十八歲高齡的前輩丁景唐先生。丁先生介紹說，廈門大學的莊鍾慶先生無意中在廈門舊書店購得《駱駝祥子》的初版本。由他商請莊先生，把書送贈了老舍之女舒濟女士。得了這條線索，李今給舒女士打電話求助。舒女士說前些年她把書借給國家圖書館展覽，展覽後丟失了。後來託在安徽師大工作的友人去蕪湖圖書館阿英藏書室中查找圖書，阿英是最早關注新文學版本學術價值的學者、作家，希望在他的藏書中能有意外之喜。但那裏多有近代圖書，我們所需要的一本也沒有。順便請友

> 人在安師大圖書館看看，本來並沒有抱什麼希望，結果卻在該館的特藏室中找到了《駱駝祥子》和《綴網勞蛛》的初版本。當晚，黃開發就給李今打電話報告消息，興奮之情溢於言表。

我注意到這段文字，是因為自己就在安徽師大工作，也偶爾去圖書館特藏部查資料，外人竟在這裏有驚喜發現，真是很有意思。我當時並不知曉這一發現的意義，僅在心裏嘀咕，那位「在安徽師大工作的友人」會是誰呢？

不久，讀到陳思廣發表在《藏書報》二〇〇九年六月一日的《不可錯過的十部新文學長篇小說》一文，才知道《駱駝祥子》初版本原來十分難得。該文將其列為榜首：

> 《駱駝祥子》初版於一九三九年三月，時值戰亂，連老舍自己也是後來才知人間書屋已出版發行。小說至一九四九年二月共印十五版，具體的版次關係，可參見筆者刊於二〇〇八年十二月二十二日《藏書報》上的小文《〈駱駝祥子〉的版次及意義》。今年是老舍誕辰一百一十周年和《駱駝祥子》發表七十周年，若能有機會淘得《駱駝祥子》的初版本，真可謂三喜臨門了！日前所知安徽師範大學特藏室有《駱駝祥子》初版本，坊間誰是幸福的持有人，不得而知。綜上，筆者對《駱駝祥子》收藏的總體評定是：藝術指數十，收藏指數十，難度指數十，綜合指數十。

沒想到收藏界對這個版本如此追捧，讓我動了一睹為快的念頭。一次下課後，我去了圖書館特藏部，見到負責人周老師，說明來意。周老師說，確實有人查閱過，是一位老師讓研究生來的，帶了一個書單，查到後還拍了圖片。她在網上也看到黃開發的文章，知道這件事，並將那幾本書另外單獨存放了。她從一個小房間拿出一本《駱駝祥子》、三本《綴網勞蛛》。《駱駝祥子》沒有封面，貼上一層牛皮紙，版權頁上印著「康德八年出版」，顯然是偽滿時期的海盜版。《綴網勞蛛》有一本確實是初版書，不過那屬於「文學研究會叢書」，應該不是特別難找。正說著，館裏有人來談工作，我便先行離開了。

回來查找了一些資料，對《駱駝祥子》的版本問題有了進一步了解。可以肯定，我那天見到的，絕不是被拍照傳到北京去做《中國現代文學初版本圖鑒》的那本書。過了幾天，我特地帶上數位相機，再次來到圖書館特藏部。一進門，周老師便迎上前說，上次給我看的《駱駝祥子》不是我要找的，我走後她就找出來了，是一九三九年人間書屋的初版本。接著，她從抽屜裏拿出來一本封面封底完整無缺的《駱駝祥子》。我接過一看，果然是上海人間書屋發行的，版權頁上清楚地印著「民國廿八年三月初版」。——這就是傳說中的《駱駝祥子》初版本了！

我取出相機，拍下封面和版權頁，留個紀念。周老師則將我帶去的資料複印了一份，說要給館裏的領導看看，雖然現在還不能肯定是孤本，但至少也算得上珍本了，特藏部能有這樣一件藏品，是值得慶幸的事。

《藏書報》二〇〇九年七月二十日

買《名家散文選讀》記

董橋先生在《三「家」村》之「翻譯家」中，談到他初讀夏濟安所譯《名家散文選讀》:「驚為翻譯秘笈，如醉如癡；從此學而時習之，經年累月，閉目幾可背誦十之八九。」董橋是當今屈指可數的文章高手之一，令他「如醉如癡」的「秘笈」，自然喚起我的好奇心，只是一直無緣遇到。

日前一時興起，上網搜索，竟看到有好幾家書店在賣。香港今日世界出版社的，臺灣英文雜誌社的，還有上海復旦大學出版社的。這後一種更名為《美國名家散文選讀》，二〇〇〇年出版，現在網上的售價已漲到一百三十五元。香港版的沒有標明出版時間，兩卷本的售價也是一百三十五元。臺灣版的是一卷本，注明為「美國文學名著選集 L2」，附有書影，看上去品相很好，售價六十元，也能接受，便下了訂單。

沒過幾天，收到書，是一九八七年七月初版。我粗略翻了一下，全書選譯了美國殖民開始至南北戰爭期間十一位作家的十五篇散文。但有一個小問題，即自序裏提到選譯了作家論三篇，目錄和正文中卻都只有兩篇，缺一篇愛默森的《梭羅》。這是怎麼回事？難道我買的是刪節本？於是又上網查到一些相關的資料，還意外地下載到大陸版的電子書，是英漢對照本，前有夏志清代序《關於夏濟安譯著的通信》，後有朱乃長《校後記》。朱乃長是夏濟安的「得意門生」，一九八五年上海譯文出版社引進出版夏濟安的另一名著《現代英文選評注》，就是他校訂的。

《散文名家選讀》最早的版本，是一九五八年今日世界出版社出版的，原名《美國散文選》。一九七二年，該社將其改為中英對照的兩卷本出版，更名《散文名家選讀》。此時，夏濟安已經去世，夏志清對這一做法不以為然。因為當初並沒有出版對照本的打算，目標讀者很明確。為了符合漢語習慣，譯文作了相應的調整。據說，每篇譯成後，夏濟安還讓朋友圈讀、吟哦，覺得不夠美妙流暢，遂即改寫。所以譯作出版後，有評價認為「完全像是中文創作，沒有翻譯的痕跡」。可與原文一一對照，便會發現有所出入。二〇〇〇年，復旦大學出版社出版「夏濟安譯、朱乃長校」的《美國名家散文選讀》，雖有夏志清的授權，卻並非出自他的本意。代序裏說：「假如出版社真有意為先兄出書，我倒建議出他的原版《美國散文選》。」可惜這一建議未被採納，出版的依然是英漢對照本，且原文在前，譯文在後，譯文還經過校改。

代序裏提到金隄對夏譯霍桑《古屋雜憶》首段的批評，語焉不詳；我查了一下事情的來龍去脈。原來林以亮在長文《翻譯的理論與實踐》中，對夏譯有極高的評價，且轉引《古屋雜憶》首段的譯文，附上英語原文，供讀者比較鑒賞。這篇長文被多種翻譯論文選收錄，金隄看到後，在《論等效翻譯》一文中提出異議。他從「等效」理論出發，指出這段譯文不妥的地方，有一處是明顯的硬傷，即原文中的 cow（母牛）被誤認作 crow（烏鴉）。這的確是一個非常低級的錯誤，怎麼辯解都說不通。但金隄沒有提供自己的譯文，讀者無從了解他理想中的「等效翻譯」到底是什麼樣子。可以肯定，朱乃長讀過這篇批評，校訂時受其影響，對該段落作了改動，或曰重譯。

夏濟安原來的譯文是：

> 一條大路，兩旁白蠟樹成林，路盡頭可以望見牧師舊宅的灰色門前，路口園門的門拱已不知在哪一年掉了下來，可是兩座粗石雕成的門柱還巍然矗立著。舊宅的故主是位德高望眾的牧師，現已不在人世，一年前，他的靈柩從園門裏遷出，移向村中的公墓，也有不少人執紼隨行。園門裏的林陰大路和宅門前的馬車道，雜草蔓生，偶爾有兩三隻烏鴉飛來，隨意啄食，在路旁覓食的那頭老白馬，也可以在這裏吃到幾口可口的美餐。

再看朱乃長校改後的文字：

> 在昂然聳立著的兩根鑿工粗糙的門柱之間——園門本身已經不知在哪個年代裏從它的門樞上頹然傾覆——我們瞧見兩排黯黑的白蠟樹形成的小路盡頭，聳立著牧師的那幢舊宅。為它的上一個住戶，那位可敬的牧師，舉行的送葬行列出了園門朝著村裏的墓地逶迤行去的那個日子，已經過去十二個月了。通過到園門前的那條輪轍，以及整個小路上，幾乎長滿了草，供兩三頭隨處漂泊的母牛，以及一匹沿著路邊覓食充饑的老白馬，美美地吃上幾口。

朱乃長對個別詞義的理解更為準確，語序也能與原文一一對應。可只要默讀一下，就能分得出兩段譯文語感的高下。董橋初讀夏譯時，就曾說過：「下等譯匠是『人在屋簷下，不得不低頭』，給原文壓得扁扁的，只好忍氣吞聲；高等譯手是『月上柳梢頭，人約黃昏後』，跟原文平起平坐，談情說愛，毫無顧忌。譯匠中英文太過寒傖，一旦登入文字堂奧，手腳都不聽使喚，說話更結結巴巴；譯手中英文富可敵國，進出衣香鬢影之間應對得體，十足外交官風度。」朱乃長與他老師之間的區別，恐怕正是如此。

尚不知道這樣的改動在《美國名家散文選讀》裏占多大比例，可僅憑這一處，便足以令我暗自慶幸，以前並不知道大陸出過這樣一個版本。否則，我會在第一時間買來一睹為快。那麼，我對夏濟安譯文的期待，必然會或多或少地受挫。經過校改，敗筆沒有了，神來之筆也被抹殺了，得不償失。美國有位劇作家兼翻譯家回應批評者時，反問道：是否出錯的譯作也可能是翻譯得最好的？他又說：今天有些翻譯家很少犯錯，也許絕不犯錯，可是他們譯出來的書和劇本卻很糟。這些話很偏激，然而比較夏濟安與朱乃長的譯文，不能不承認，還真是這麼回事。

有意閱讀夏濟安的譯文，首選當然是一九五八年初版的《美國散文選》，正如夏志清所言。一九七二年改版的兩卷本《名家散文選讀》，雖然增加了不必要的原文，但譯文未曾改動，保持了本來面目，也是一種選擇。董橋當年讀的，就是這個版本。最後的選擇，才是二〇〇〇年校訂版的《美國名家散文選讀》。因為這個本子經過塗改、挖補，已經不完全是夏濟安的獨立作品了。

至於我買的一九八七年臺灣英文雜誌社初版的一卷本《名家散文選讀》，是經今日世界出版社授權出版的。只收譯文，未收英語原文，也未曾校改。我沒有見到今日世界出版社的前後兩個版本，從夏志清文中得知，原版中有愛默森《梭羅》一文，是張愛玲譯的。我買的這本書是「美國文學名著選集 L2」，書上有叢書的目錄，「L1」便是張愛玲譯的《愛默森文選》，該文應在其中。同一套叢書，自然沒有必要重複收錄同一篇譯文。除此之外，臺灣版《名家散文選讀》的文字內容，與初版的《美國散文選》完全一致。如果僅僅為了欣賞夏濟安的譯文，買不到初版，這個版本應該是最接近原貌的。我在網上訂購時，並沒有考慮這些因素；現在看來，算是一不留神做了正確的選擇。

《譯林書評》二〇〇九年第六期

《美術版本過眼錄續集》序

初次見到吳良忠先生的時候，很難相信眼前是一位藏書家。結實，樸實，不修邊幅，看不出什麼「書卷氣」。但據說，他的藏書已近十萬冊。對於私人收藏而言，這是一個相當驚人的數目。而當得知，這十萬冊又都是一九四九至一九六五年的各種初版書，就更讓人刮目相看了。

藏書是有學問的，首要的一點是，必須確立一個有價值的選題。作為一般的愛好者，或許是「見好即收」，可有了一定規模之後，關鍵就是特色了。這時，需要的就不僅是雄厚的實力，更重要的是獨到的眼光。追捧熱門的，競爭激烈，很難脫穎而出；專揀冷門的，機遇較少，很難形成氣候。最佳的狀況，是有先見之明，人棄我取，日漸升溫。吳良忠沒有選擇名頭最大的古籍善本，也沒有選擇正當走紅的民國舊書，而是選擇了目前尚不為人注目的新中國十七年的圖書，這正說明了他的超前意識。

也許有人要說，這些書年代不夠久遠，很常見，很普通，沒有什麼稀奇的。沒錯，在那個時代成長起來的人許多尚在人世，公家的圖書館也大都是那個時代建立的，當時購存的圖書，現在只有被處理、被剔舊的份兒，怎麼還要像寶貝似的「藏」起來？其實，潛力和前景正在這裏。因為有貨源，價位又不高，正是大量購入的好時機，等過一段時間，大家都反應過來了，則為時晚矣。至於這些書的價值，是毋庸置疑的。我們知道，六十年前，清刻本不被看好；二十年前，民國舊書如何便宜。再過二十年，情況又會是什麼樣呢？遠的暫且不說吧，當吳良忠可以十分自信地說「這個時期的書，我的收藏全國第一」時，不是立刻引起了不小的反響嗎？中央電視臺拍了專題片，中國新聞社發了專稿，還有，今年二月，上海遠東出版社推出了他的藏品專集《美術版本過眼錄（一九四九～一九六五）》。此書問世後，頗受歡迎，現在又有出版續集的計畫。

吳良忠公開展示自己的收藏，挑選美術圖書作為主打專案，也顯示了他的慧眼獨具。漢語所謂「圖書」，也指有圖的書，出版美術圖書的圖錄，正可以發揮圖的優勢。封面本身是一幅圖，正文頁也是一幅圖，兩幅圖並列印出，讀者真是飽了眼福了。文字作品比美術作品，包含更多的信息量，可影印一頁出來，遠不如一幅美術圖片那麼直觀，能讓讀者直接感受那個年代的氣息。國畫、油畫、速寫、漫畫、宣傳畫，還有版畫、剪紙，那個年代的圖像歷歷在目，那個年代的風格也畢現無遺。那是一個特別的年代。此前已成名的美術家紛紛改弦更張，以適應時代的需要，他們晚年的創作出現了新的轉型；而當今地位顯赫的美術家，又都是在那時邁出的第一步，至今或多或少還留有當時的影子。所以，這樣一部圖錄，文獻學的價值和文藝學的價值都相當高。

《美術版本過眼錄（一九四九～一九六五）》一書，是與陳寒川合著的。比較目前出版的同類書籍，這種合著的方式，又算得上明智之舉。因為敘錄是一項嚴謹而繁瑣的工作，需要耐心，需要鑽研，來不得半點含糊，更不可不懂裝懂。時間倉促，學養儲備不足，信口開河，不是貽笑大方，就是擾亂視聽，禍害無窮。收藏界自古以來就有一種傳統，先尋求一位專門的學者協助，摸清門徑後，才自行其是。吳良忠找來精通目錄學的陳寒川搭檔，一位採擇宏富，一位區別精審，真可謂相得益彰。有了這次合作的磨礪，相信他的下一部獨立完成的專著，定可避免許多初涉著述之道者易犯的過失，做到既充實又扎實。

在業已出版的這部書裏，不難發現吳良忠誠懇的態度與誠實的作風。進入藏書這一行，不免會感染「秘冊自炫」的毛病。有人秘藏，不肯示人，擔心露了底，招惹競爭；有人自我炫耀，誇大其詞，自抬身價，奇貨可居。這些惡習，吳良忠身上似乎都沒有。將自己的收藏加以整理和介紹，正如他自己所言，主要是希望更多的人「了解和重視一九四九～一九六五年間出版的那些有特殊歷史價值的圖書」。否則，公開這類書目，讓別人可以按圖索驥，不是不利於自己囤積居奇嗎？他還公布了歷年所購代表性書籍的價格記錄，但明確說明，那是個人當時收購的價格，不能代表目前市場的價位。這些真實的記錄，對於那些有志收藏者，有很大的參考價值。不像某些人出書，亂標所謂「參考時價」，比實際行情超出許多，誤導大眾，連最起碼的誠信意識都沒有。

常言道，由過去可知未來。從吳良忠已有的成績和表現，無疑可以斷言，《美術版本過眼錄（一九四九～一九六五）》的續集是一本值得期待的書。當然，值得期待的，不止是一本書，而是他能固守自己的定位，保持旺盛的勢頭，學無止境，精益求精，成就一番收藏事業，在藏書界產生深遠影響，為繁榮藏書文化做出突出貢獻。傳承民族文化，營造書香社會，正是需要更多像吳良忠這樣的藏書家和愛書人的共同努力。

《藏書報》二〇〇七年十月二十二日

關注「十七年」

近日，接連讀到兩本「談書的書」。一本是譚宗遠先生的《臥讀偶拾》，一本是李傳新先生的《擁書閒讀》。兩本書不僅內容頗有趣味，裝幀設計也非常漂亮，令人愛不釋手。巧合的是，兩本書的後記裏，都特別提到所謂「十七年」的書。

譚宗遠在《臥讀偶拾》裏說：「明眼人不難看出，我談的書能列入經典的恐怕不多，多是些『建國十七年』出版的大路貨，是難入一些讀書人的法眼的。」這話很像他的為人，十分低調。或許，他平日接觸的讀書人多為收藏界的，所談不是古籍善本，就是民國舊版。不得已，事先自謙一下。當然，雖說「大路貨」，還是要談，並且精選書影，製作插圖，足見他對這些「十七年」的書，還是相當看重的。

李傳新似乎沒有類似的顧慮。他在書中專門列出「十七年書」一輯，收書話二十八篇，如《郭小川的第一本詩集》、《〈誰是最可愛的人〉初版小考》、《唯美〈金薔薇〉》等。書話一體，從唐弢開始，主要對象是新文學版本。按文學史的通常說法，屬於現代文學，不涉及當代文學。寫作有關當代文學版本的書話，李傳新或許不是最早的。但如此專注，又有如此規模的，至今尚不多見。

李傳新在寫作這些書話時，也有自己的講究。他不僅注重初版本，還特別留意作者的第一本書。郭小川、流沙河的第一本詩集，呂劍的第一本散文集，韓武、戴敦邦的第一本連環畫……他對「第一本書」的興趣，甚至延伸到近一、二十年的出版物，如那一篇在某網站論壇引起不小躁動的《揚之水的第一本書》。對於那些費心收集來的「十七年」的書，李傳新都認真讀過，因而能發現同一本書不同版本的差異。由此寫成的書話，就有了史料的價值。他的這一習慣，可以追溯到一九七九年發表在《讀書》雜誌上的一則短札《作家不要隨風轉》。文章說的是楊沫《青春之歌》一九五八年的初版中，林道靜給人推薦的書目裏有瞿秋白的《中國往何處去》，重印本裏卻刪掉了這個書名。可見，「十七年」的當代文學，也像古典文學、現代文學一樣，存在版本考據的問題。

記得不久前，為吳良忠《美術版本過眼錄續集》寫序時，我曾從收藏價值方面談到「十七年」的書。對於吳良忠專收一九四九～一九六五年間的圖書，我表示了肯定與讚賞。不過，那是一本美術圖書的敘錄，而非談文學版本的書話。而且因文體所限，有些話我沒有展開來說，例如，將「十七年」的書與紅色收藏、文革專題比較參照。我不知道業內人士對紅色收藏是否有明確的界定，出版時間大體應該以一九四九年為下限吧。因為當年多屬於地下出版，或為內部流通，這些書在今天已是收藏的大熱門了。至於文革書，由於那段另類的歷史，也頗受追捧。有朋友在英國訪學一年，回來跟我說，他房東就藏有好幾書櫥的原版文革書。可見，這類書籍在西方也有市場。「十七年」的書，在時間上正好介於兩者之間。無論是題材內容，還是版本形式，都要豐富得多。至今未能在收藏界形成氣候，自然有種種原因。作為尚待開發的礦藏，將吸引更多的關注，卻是必然的趨勢。吳良忠、譚宗遠、李傳新等人，都可以說是開拓者了。

李傳新在《擁書閒讀》裏說：「『十七年書』一輯尚有若干篇目未及收入，或許今後可以整理為單獨一冊。」我們期待著這本新書話的問世。

《藏書報》二〇〇九年五月十一日

「十七年」的十七部書

《藏書報》策劃做個專輯，從收藏角度評介建國六十年文史類標誌性著作，很有意義。因為偶爾在文章中說到「十七年」的圖書值得收藏，編輯先生便約我寫這一時段。其實，收藏界肯定有更適合的人選。關於這一時期的出版物，我只是佛吉尼亞·伍爾芙所說的「普通讀者」。不過，那位「普通讀者」可以在《泰晤士報文學副刊》上放談英國文學經典，我來班門弄斧一下也不算唐突。

我平時閱讀的，主要是文史類書籍，也會注意到版本問題。要在「十七年」間選出標誌性著作，卻並非易事。首先是設定數目，選多少部合適。原想按時間一年一部，可有些年份實在選不出像樣的書來，只好放棄計畫。而選十七部的決定，卻由此明確下來。

接下來便是選擇的標準。雖是文史類書目，卻不可偏重書籍的文學或史學價值，而是要考慮從收藏角度，體現其文獻乃至文物價值。但從結果看，每部書入選的標準又不可能完全一致。有人認為，任何書目都只能是所謂雙重標準，一是不應忽略的，一是個人偏愛的。這似乎是誰也無法超越的事實。

最後的難題是編目，這涉及到排列秩序，比取捨更讓人頭痛。幾經平衡，終將入選書籍歸為四類。「文學類」除毛澤東、魯迅的書為必選，詩歌、散文、小說、戲劇各選一部；「學術類」文史哲各選一部，此外，胡適是集文史哲於一身的，美學則是介於文學與哲學之間學科，也聊備一格；「典藏類」三部，是收藏界的朋友最感興趣的，不必贅言；「書話類」著作是近年頗為熱門，這裏選的三種分別為傳統的、現代的、外國的書話體代表作。

現將選定的書目抄錄如下，僅供參考，並敬請指正。

文學類：

一、《毛澤東詩詞》，人民文學出版社一九六三年初版。此書激發了國人詩詞創作的熱潮，至今餘波未息。

二、《魯迅全集》十卷本，人民文學出版社一九五八年初版。此書為《魯迅全集》第一個注釋本，是魯迅著作被國有化的重要標誌。

三、《致青年公民》，郭小川／著，作家出版社一九五七年初版。此書為新詩集，形式借鑒馬雅可夫斯基的「階梯詩」。「公民」是一個令人熱血沸騰的稱謂，以至於今天還有人主張將居民身分證改為公民身分證。

四、《燕山夜話》（一～五），馬南邨／著，北京出版社一九六一～一九六二年初版。此書為散文隨筆集，是那個時代最傑出的專欄文集。

五、《青春之歌》，楊沫／著，作家出版社一九五八年初版。此書為長篇小說，是五四以來「成長小說」的延續，也反映了五四以後青年知識分子的不同選擇。

六、《茶館》，老舍／著，中國戲劇出版社一九五八年初版。此書為話劇劇本，大約是「十七年」期間唯一可躋身世界文學名著之列的作品。

學術類：

七、《宋詩選注》，錢鍾書／著，人民文學出版社一九五八年初版。讓人們在熟讀唐詩之外的也讀點宋詩，更可貴的是，在主流話語之外保持了自己的學術個性。

八、《論再生緣》油印本，陳寅恪／著，一九五四年自印。此書當年在國內的反響、在海外的流傳，都可以說是那個時代學術史的傳奇。

九、《原儒》線裝兩冊，熊十力／著，上海龍門聯合書局一九五六年版。新儒家為新政權提供的學理支持，被國家領導人作為禮品贈送外國元首。

十、《胡適思想批判參考資料》七卷十一冊，一九五五年內部發行。編印批判材料，是那個時代常見的，但花如此多人力、收集如此齊全、編輯如此完整的，極為罕見。胡適的某些文章當年讀時無動於衷，今天看來卻是驚心動魄。

十一、《美學問題討論集》（一～六），作家出版社一九五七～一九六五年版。百花齊放，大多曇花一現；唯美學一科，百家爭鳴到文革前夕。這次大討論影響到後來的美學熱，導致中國大學開設美學課程之普遍，遠遠超過世界上任何國家。

典藏類：

十二、《新刻金瓶梅詞話》線裝兩函二十一冊，文學古籍刊行社一九五七年版。此書是經毛澤東建議，由文化部、中宣部與出版部門協商之後，按一九三三年「北京古佚小說刊行會」影印本重新影印二千部，發行對象是各省省委書記、副書記以及同一級別的各部正副部長。這在古今中外出版史上，都是獨一無二的。

十三、《詞人納蘭容若手簡》線裝一冊，上海圖書館一九六一年版。此書根據夏衍藏品原色影印，書首有夏承燾前言，末附梁啟超、葉恭綽等人跋語。

十四、《百花齊放》線裝十冊，郭沫若／著，榮寶齋一九六〇年版。此書據郭沫若詩手書上版，每首詩配一幅畫，宣紙精工浮水印。

書話類：

十五、《劫中得書記》，鄭振鐸／著，上海古典文學出版社一九五六年初版。此書文字曾連載於開明書店的《文學集林》，這裏是第一次結集出版。介於古代題跋和現代書話之間，屬於過渡性作品。

十六、《書話》，唐弢／著，北京出版社一九六二年初版。作者四十年代就寫過不少短小雋永的書話，散見於各種報刊。此書收錄的主要是新作，直接以「書話」為書名，標誌著書話文體的正式誕生。

十七、《為書籍的一生》，〔俄〕綏青／著、葉冬心／譯，三聯書店一九六三年初版。此書為出版家與翻譯家通力合作、精心打磨的精品，備受出版界和藏書界的追捧。

《藏書報》二〇〇九年十月五日

卷二

書人偶識

呂碧城勸龍榆生學佛之原委

《詩窗》總第十二期「呂碧城研究專號」刊出祖保泉先生近作《讀呂碧城詞札記》，其中有這樣一段話：

> 一九四二年，碧城勸那個投靠汪偽的文人說：「佛教之平等觀，即是無國家種族、恩怨親仇之分別，處於超然之地，不得以世情繩之。」多麼驚人的「超然之地」！連祖國存亡、民族氣節都不顧了的「超然」，令人不寒而慄！筆者只好咬牙說一聲：好一個自以為聰明的糊塗蟲！

其中所引呂碧城的原話，見於李保民《呂碧城詞箋注》附錄中龍榆生《悼呂碧城女士》一文。龍榆生在文中，節錄了呂碧城一九四二年十二月二十一日給他的信：

> 書中又苦勸學佛，略稱：「世間事皆如夢如幻，本無真實，最要者為看破世界，早求脫離，即學佛是也。請試行之，必覺怡然別有天地。」又稱：「佛教之平等觀，即是無國家種族、恩怨親仇之分別，處於超然之地，不得以世情繩之。」末有「珍重前途，言盡於此」之語。

這封信未見全篇，但呂碧城的意思很明確。所謂「國家種族、恩怨親仇」，所謂「超然」，都旨在勸龍榆生學佛，是前提條件，而非結論。並且，呂碧城勸說的重點也不在這裏，而在後面的「珍重前途，言盡於此」。龍榆生主編的《同聲》三卷一號「詞林近訊」有記:「去年十二月二十一日，有書致其詞友龍榆生君。敦勸學佛，有言盡於此之語。」何謂「言盡於此」？用通俗地講，就是「我的話只能說到這個地步了」。呂碧城有什麼話，是兩人心知肚明，無須說白了的？這自然需要了解龍榆生當時的境遇，弄清呂碧城勸其學佛之原委。

呂碧城晚年信佛護生，勸人學佛本是份內之事；具體到龍榆生，情況卻有些特別。一九三三年，經葉恭綽的介紹，客寓柏林呂碧城與旅居上海的龍榆生開始通信來往。同年，龍榆生主編的《詞學季刊》創刊號及一卷二號，載有呂碧城詞合計十四首。後來，龍榆生編《近三百年名家詞選》，以呂碧城壓軸，並給予極高的評價。據張暉《龍榆生先生年譜》記載，一九三八年八月二十二日，呂碧城由歐洲致函蟄居孤島的龍榆生：

> 聞散原老人絕食殉難，諒尊處早得消息。吾人今日皆係忍辱偷生，解脫之法惟往生佛國。……我等皆忝屬知識階級，非迷信者，感於此世界太苦，實不堪鬱鬱久居。先生宜早自為計，勿沉淪也。

中日戰爭爆發後，淪陷北平的陳三立憤而絕食身亡。呂碧城以為，身處亂世，若要「忍辱偷生」，學佛才是唯一的「解脫之法」。只有如此，方可免於「沉淪」。她很清楚，憑著龍榆生在文化界的聲望，必然會被別人利用。她勸龍榆生學佛，從遠處著眼，是傳教；從近處著眼，則是希望他斷絕塵緣，潔身自保。所謂學佛，正如同梅蘭芳當時的蓄鬚明志。呂碧城的建議，可謂用心良苦。

龍榆生也曾起信佛之念，然而遲疑不定，未能痛下決心，終於被汪精衛生拉硬拽，落水沉淪，名節不保。汪精衛對龍榆生有知遇之恩，所謂士為知己者死，況且龍榆生又是身不由己。他當然知曉民族大義，更是愛惜羽毛，落得個漢奸的罵名，真是欲哭無淚。他離滬赴寧、置身汪精衛麾下後，給尚未歸國的呂碧城寫信，傾訴內心的苦悶。一九四〇年九月十二日，呂碧城覆函：

> 來緘所述窘境，凡存心忠厚者，當能原諒，佛說世事如夢幻泡影，不必深論。倘能以皈依三寶自鳴，則佛徒之立場，不受世法之界限。桑榆之收，莫善於此。頃有友人談及，城亦持此論，非以虛言奉慰也。如能真實歸佛，則於世事一切能安心自覺，另換一個天地。將來尤獲益無窮，尚稀有以自解，勿徒戚戚。

龍榆生當時還給許多人寫過大意相同的信，包括夏承燾、錢鍾書等。《槐聚詩存》裏有《得龍忍寒金陵書》一詩：「一紙書伸漬淚酸，孤危契闊告平安。塵多苦惜緇衣化，日暮遙知翠袖寒。負氣身名甘敗裂，吞聲歌哭愈艱難。意深墨淺無從寫，要乞浮提瀝血乾。」錢鍾書後來說，此詩「語帶諷諫，亦見文章有神交有道耳」。呂碧城說「存心忠厚者，當能原諒」，則是先表示「了解的同情」，隨後再進行「諷諫」。她又一次勸龍榆生皈依佛門，說佛徒「不受世法之界限」，「如能真實歸佛，……另換一個天地，……尚稀有以自解」，意圖十分明顯。她宣講眾生平等的佛義，完全是佈施普渡眾生的佛法，給失足的龍榆生指出一條退路，希望他回頭是岸，絕非連祖國存亡、民族氣節都不顧。呂碧城一點都不糊塗！

呂碧城一九四二年十二月二十一日給龍榆生的信，未能保存，僅留下《悼呂碧城女士》一文裏摘錄的片段。可從那些片言隻語看，無非是一九四〇年九月十二日信的重複。祖保泉先生從中得出那樣的印象和評判，應該是誤會了。

《開卷》二〇〇九年第四期

世亂佳人還作賊

王蒙先生《門外談詩詞》一文中對陳寅恪《丁亥春日閱花隨人聖庵筆記深賞其遊暘臺山看杏花詩因題一律》的解讀，令人頗感意外。抄錄原詩後，王蒙先生寫道：「這裏能看到什麼？我說不好，因為我對陳寅恪不太熟悉。但從詩裏如『世亂』、『聞禍』、『斷句』這些詞中明顯感覺到，面對新中國的建立，中國的動盪，他有一種生不逢時、正逢亂世之感，這和後面要說的革命家完全不一樣。再如『荒山』，還流露出荒蕪感；『死後哀』（按，應為「後死哀」），又流露出悲劇感。此詩所表現的正是陳寅恪在大變動中的那種六神無主和悲哀。」儘管這些話裏留有餘地，儘管人們常說「詩無達詁」，如此的「過度詮釋」，無疑超出了閱讀理解的底線。

該詩標題明示，作於「丁亥春日」，也即一九四七年春天。抗戰勝利後，陳寅恪因治療眼疾，奔波一段時間後，於一九四七年春回到已遷返北平的清華大學，繼續授課。所謂「花隨人聖庵筆記」，指黃濬（字秋岳）的《花隨人聖庵摭憶》一書。在吳宓抄本中，此詩標題即為《題花隨人聖庵摭憶後》，詩後有注：「書中極言暘臺山花事之勝。」所謂「遊暘臺山看杏花詩」，應是該書「暘臺山之花事」條中，黃濬自錄的斷句：「絕豔似憐前度意，繁枝猶待後遊人。」這句詩正合陳寅恪當時心境，因而有所共鳴。套用孟子的話講，陳寅恪是讀其書、頌其詩、念及其人，所以賦詩一首。

黃濬其人，現今知之者甚少，可在近代詩壇上，卻是赫赫有名。他著有《聆風簃詩》，是宋詩派領袖陳衍最得意的高足。錢鍾書記錄的《石語》，開篇第一則，便是陳衍誇獎黃濬的話。當時人們普遍認為，他是繼陳三立（陳寅恪之父）、鄭孝胥之後最有實力的詩人之一。黃濬雖為文人，卻一直從政。早年自京師大學堂譯學館畢業，授七品京官，後留學日本早稻田大學。民國以來，歷任北京政府陸軍、交通、財政等閣部的參事、僉事、秘書及國務院參議。北洋集團覆滅，他蟄居數年，後應召往南京任行政院秘書，以文才備受蔣介石、汪精衛等人賞識，遂提拔為僅次於秘書長的簡任級機要秘書。一九三七年，以漢奸通敵罪被正法。這樁當年頭號的間諜大案，震驚朝野。其中細節，至今疑雲重重，但黃濬因揮霍無度、入不敷出、最終出賣情報給日本侵略者的罪行，應屬事實。據有關記載，當時日軍艦隊停泊內江，國民政府軍方打算以若干船隻沉入江口，堵塞航道，然後大炮、飛機並用，將敵艦一舉殲滅。不想計畫洩密，一夜之間，日艦全部撤走。蔣介石聞訊大怒，秘密派人對政府要員逐一排查，最後發現黃濬銀行帳單有鉅款由日本匯入，將其捕獲。黃濬供認，他和日本間諜是在南京某大飯店接頭的。他將機密藏於禮帽內，進飯店掛在衣帽架上；日本間諜來了，也將禮帽掛在一處。彼此各自入席，從不交談。飯後，各自則換戴禮帽而去。黃濬招供後，即被斬首示眾，據說是蔣介石親自下的命令。

《花隨人聖庵摭憶》是一部分量不輕的掌故筆記，以記述晚清和民初的史事與人物為主，兼發議論或考證，不僅內容豐富多彩，議論頗有見地，行文也委婉流暢。鄭逸梅《民國筆記概觀》中，對此書的文史價值評估較高。具有反諷意味的是，書中竟然有「奸細考」一條。有感於華北時局危急，黃濬專門論列自元朝以來日本「早慣於勾買無恥施技刺探」中國情報的事實，並且指出：「可知吾國與外族戰爭，恒為奸細敗事，今日當先為炯鑒。」夏承燾《天風閣學詞日記》一九三七年八月二十九日有記：「於報紙見秋岳死前半月所為《花隨人聖庵摭憶》，有一條論日本在元時已用漢奸探敵情，我人當以為炯戒云云，文人言行相背至此，真堪咬牙切齒也。」

《花隨人聖庵摭憶》一書最初連載於《中央週報》，補編續刊於《學海》。黃濬死後，由友人瞿兌之出資印行於北平。黃裳《談掌故》一文中稱，此書當時印數不多，市價奇昂。陳寅恪於戰後重返北平得見，讀後有所感觸，發而為詩。其中「世亂」、「聞禍」、「斷句」等詞，都有具體所指，顯然不是王蒙先生說的，與「新中國的建立」有關。原詩流露的情感雖較為複雜，表達的意思卻極為明白，並無晦澀難懂之處。

當年聞禍費疑猜，今日開編惜此才。
世亂佳人還作賊，劫終殘帙幸餘灰。
荒山久絕前遊盛，斷句猶牽後死哀。
見說暘台花又發，詩魂應悔不多來。

首聯的「聞禍」指當年聽到黃濬因漢奸罪被處決之事，「開編」即翻閱《花隨人聖庵摭憶》一書。頷聯的「世亂」，當然是「動盪」，是「大變動」，但這裏指的抗日戰爭，而非解放戰爭。「佳人還作賊」，用的是《晉書》上的典故：「卿本佳人，何為隨之也？天下寧有白頭賊乎？」此處感慨黃濬本是佳人，奈何作賊。「殘帙」仍是指那部掌故筆記，陳寅恪視之為劫後餘灰。頸聯的「荒山」即暘臺山，

「前遊盛」指戰前的盛況，「斷句」即黃濬的「遊暘臺山看杏花詩」，「後死」是陳寅恪的自稱。王蒙先生的引文中將「後死」誤為「死後」，是疏忽，可也能看出他沒有弄清具體的指涉。尾聯的「暘台花又發」，是再次點題，賞其詩而歎其人。

蔣天樞《陳寅恪先生編年事輯》錄此詩，有按語：「詩稿上師母注『刪』和『不鈔』字樣。」有人以為，唐篔此舉是顧慮到這首詩有同情漢奸之嫌。其實，陳寅恪的立場和態度十分鮮明：「世亂佳人還作賊」。「佳人」是因其詩文才華，「作賊」是指其賣國行為，褒貶沒有半點含糊。只是「佳人作賊」，令詩人惋惜不已。錢鍾書寫於一九四三年的《題新刊聆風簃詩集》一律，對黃濬也表達了同樣的複雜情感：「良家十郡鬼猶雄，頸血難償竟試鋒。失足真遺千古恨，低頭應愧九原逢。能高蹤跡常嫌近，性毒文章不掩工。細與論詩一樽酒，荒阡何處酹無從。」錢詩較陳詩使用更多的「古典」，理解起來有障礙；兩首詩中的「今典」及作者對黃濬的態度基本一致，卻是可以「明顯感覺到」的。

《開卷》二〇〇六年第十期

再談吳宓晚年

幾年前，有一本名為《心香淚酒祭吳宓》的書，曾引起激烈的爭論。雙方都沒有直接的證據，只憑著自己以往對吳宓的印象與想像。有人期待吳宓日記的公開，會有助於澄清事實。可《吳宓日記》已先後出版了十冊，內容到一九四九年前為止，接下來卻始終不見下文。最近，新編的《吳宓詩集》悄然問世。這部集子沿用一九三五年中華書局本的體例，續補了此後詩作六百餘首。據編者稱，吳宓後來所作，尤其是一九四九年後的，遠不止這些。然而，對於希望了解吳宓晚年表現與心態的讀者，這本收羅並不齊全的詩集，已提供了十分珍貴的第一手資料。

《祭吳宓》一書轉錄了吳宓一九五二年思想改造時的一份檢討。該文以〈改造思想，站穩立場，勉為人民教師〉之題，刊於當時尚在重慶的《新華日報》上，足見頗受重視。校方以為政績，同事或有羨慕，本不奇怪，只是書中說吳宓「不會掩飾內心的激動而時常喜形於色」，就純屬臆測了。詩集中收他當年寫的一組五律《壬辰中秋》，第一首前四句：「心死身為贅，名殘節已虧。逼來詛楚狀，巧作絕秦資。」即使不知典故的出處，「詛楚狀」、「絕秦資」所指為何，讀者應當能夠猜到。吳宓卻覺得意猶未盡，又加了一個注釋：「首三四句乃昨日上午李耀先告宓，聞當局已將宓之思想改造文譯成英文，對美國廣播宣傳，以作招降胡適等之用。此事使宓極不快，宓今愧若人矣。」

《祭吳宓》還錄有吳宓一九五六年參加國慶活動後寫的《觀旦感》，但沒有提供資料來源。有人以不符合吳宓一貫的思想和文風，而否定其真實性。反方的這一理由，其實也不充分。詩集一九五六年編目中未見有關國慶之作，倒是一九五九年有一首《國慶十年禮贊》：「一年躍進百成功，煉得鋼紅我亦紅。兵學工農人競奮，棉糧煤鐵產同豐。已鋪長軌連雲棧，待駕飛船指月宮。日落崦嵫餘返照，扶搖直上看東風。」除第七句略顯不協調外，全詩無疑是「大躍進民歌」的風格，與吳宓一貫的詩風根本不一致。如果在別處看到這首詩，告訴是吳宓的作品，有多少人會相信呢？不過，詩下的自注不應忽略：「一九五九年九月十九日奉西南師院中文系領導之命，為國慶十周年向黨獻禮而作。」原來是奉命之作！而更令人驚異的是，緊接其後的一首《感時》，也注明為「一九五九年九月十九日作」。兩者形成強烈的反差，乃至完全對立。「旱荒水澇見天心，暴雨終風喻政淫。長夏禾枯人渴病，平原堤潰水漫深。急耕密植憐枵腹，芒履敝衣勸積金。強說民康兼物阜，有誰思古敢非今？」這簡直就是彭德懷那首《我為人民鼓與呼》的翻版。一天之內，寫了兩首截然不同的詩，公開表態是一套話語，私下沉吟又是一套話語，用「一以貫之」來判別真偽，恐怕無效了。

舉以上二例，並不是要重新挑起論爭。我想說的是，沒有可資利用的材料便下判斷，是一件冒險的事。人是複雜的，尤其在更為複雜的環境之中。說他應該是怎樣的，顯然不行。必須明確他到底是怎樣說的、怎樣做的，還要知道他為什麼這樣說、這樣做，他的所做所為，是他內心真實的表達，還是因環境關係有所扭曲？諸如此類的問題不弄清楚，就根本談不上「同情的了解」。新編《吳宓詩集》雖然提供了不少難得的材料，但他的「最後二十八年」仍留有大量空白。他一九四九年以後的日記尚未公開，其中還會有什麼令人讀來驚心的東西，也很難說。現在要重現晚年吳宓，條件遠不成熟。我們只是離真相近了一小步，塵埃落定尚有待來時。

《文匯讀書週報》二〇〇五年六月二十四日

走近阿英

每次經過市中心的鏡湖之濱，看到那個被石板橋連接又被鐵柵門隔開的小島煙雨墩，總不免惦記起裏面的「阿英藏書陳列室」。我剛到蕪湖工作時，曾有過一次叩訪，還寫了一篇訪問記刊登在報上。文章結尾處，我興致勃勃地許願重訪，但終於未能兌現。這並不是因為對阿英的興趣減弱了，而是我越來越覺得他的涉獵面太廣了，深入不容易，淺識無效果，一直也就沒敢涉足。吳家榮先生新出的《阿英傳論》，給了我再次走近這位本地歷史文化名人的機會。

作者也是蕪湖人，曾就讀和任教於安徽師範大學。當年，「阿英藏書陳列室」剛建成，便進去參觀了大量的實物和圖片，被深深地感染，由此開始了長達十餘年的專題研究。

正如作者所說，「阿英曾經輝煌過」，但阿英的文學遺產一直沒有得到應有的整理，更不用說繼承了。在此之前，僅有一本其後人撰寫的回憶性傳記，山西人民出版社一九九九年出版的《鏡湖水》。這部《阿英傳論》，應該算是填補空白的第一部學術專著了。

本書全面系統地評述了阿英的生平與著作，為阿英研究奠定了堅實的基礎，對相關學科的研究也會有借鑒的價值。對於希望了解阿英的普通讀者，這更是一部內容翔實、條理分明的指南。

阿英具有多方面的建樹，前後思想也發生過一些變化，怎樣才能給予合適的解讀，這是首先要解決的問題。本書以一個整章的篇幅討論這一「阿英現象」，可見其重視的程度。作者認為：「濃厚的文人情結、對革命的執著追求，是造成阿英集戰士、作家、學者於一身的深厚原因。」全書隨後的三章，便是分別針對阿英的這三個定位而設置的。第二章「阿英傳」敍述了阿英一生傳奇的經歷，側重於各個時期的社會活動。第三章「作家論」論述了阿英文學方面的業績，如早期文藝思想、歷史劇、散文、詩歌、小說以及電影創作與評論。第四章「學者論」總結了阿英的各類學術成就，包括晚清小說研究、紅樓夢研究、彈詞研究、民間藝術研究、晚清文學史料研究、辛亥革命文學研究以及藏書等方面。僅僅看到目錄所列標題，我們就會驚歎阿英學識和才華的覆蓋面如此之廣，同時也會對本書作者深入到這麼多領域進行細緻疏理的功力深表敬佩。

阿英研究的難度還不僅僅在此，這麼眾多的東西是怎樣集於一人之身的？相互不同、甚至相互矛盾的各方，是怎樣統一在一起的？在一般讀者的印象中，有一個宣導革命文學、與蔣光慈並稱的批評家「錢杏邨」，有一個抗戰時期寫愛國歷史劇、與郭沫若並稱的劇作家「魏如晦」，有一個藏書豐富、與鄭振鐸並稱的史料學家「阿英」，這個三位一體是如何形成的？還有，作為一個史料學家，他在治學方法上有什麼特點？他留下的大量藏書，是否能夠繼續發揮作用？每一個關注阿英的讀者，都會對諸如此類的問題感興趣。相信這本《阿英傳論》，會給出令人滿意的答案。

《大江晚報》二〇〇四年四月十二日

林徽因與冰心

林徽因以她的美貌，以她多方面的才華、脫俗的趣味，以她的熱情、大方、直率和健談，成為當時文化圈裏最有魅力的女性。她贏得許多男性精英的尊敬、崇拜和愛慕，但在上層知識女性中，卻沒有一個可以對話的朋友。這裏有當時社會習俗的因素，也有女性心理的因素，很難弄清其中的緣由。林徽因與冰心的矛盾，倒是頗能見出她的性格和脾氣。

早年留學美國，梁思成與吳文藻住在同一個宿舍，林徽因與冰心那時就認識了。後來在北平，兩家也有過來往。現在已無法弄清，冰心出於什麼動機，寫了《我們太太的客廳》這個短篇小說。影射的對象那麼明顯，諷刺和挖苦又那麼不留情面，而且與林徽因的詩文同時發表在同一份《大公報・文藝副刊》上。李健吾《林徽因》一文寫道：「我記起她親口講起的一個得意的趣事。冰心寫了一篇小說《太太的客廳》諷刺她，因為每星期六下午，便有若干朋友以她為中心談論時代應有的種種現象和問題。她恰好由山西調查廟宇回北平，她帶了一壇又陳又香的山西醋，立時叫人送給冰心吃用。」

近年，有論者對林徽因與冰心是否結怨作過考證。冰心直接提到林徽因，僅見於晚年的一篇文章中：「一九二五年我在美國的綺色佳會見了林徽因，那時她是我的男朋友吳文藻的好友梁思成的未婚妻。」關係交待的如此清楚，口氣卻十分冷漠。林徽因直接議論冰心的文字，卻未見舉出。一九四〇年十一月，她寫給費慰梅、費正清的信中，有這樣一段話，被論者忽略了：「但是朋友『Icy Heart』卻將飛往重慶去做官（再沒有比這更無聊和無用的事了），她全家將乘飛機，家當將由一輛靠拉關係弄來的註冊卡車全部運走，而時下成百有真正重要職務的人卻因為汽油受限而不得旅行。她對我們國家一定是太有價值了！很抱歉，告訴你們這麼一條沒勁的消息！這裏的事情各不相同，有非常堅毅的，也有讓人十分掃興和無聊的，這也是生活。」這封信原是用英文寫的，由梁從誡翻譯為中文。他當然知道 Icy Heart 是誰，卻有意保留了原文。林徽因在英文信中將「冰心」寫成 Icy Heart，很是耐人尋味。這不是音譯，也不是意譯，而「冰心」兩個漢字的直譯。而稍有語感的人都知道，「冰心」在漢語中是個好詞，Icy Heart 在英語中卻是貶義的。憑著讓費正清都折服的英語水平，林徽因不會犯這樣低級的錯誤，她肯定是故意為之。由上下文可見，她對冰心也是冷嘲熱諷的。

林徽因是一位非常要強的女性，她希望得到別人的讚美。當遇到別人的非議，她也會奮力回擊，並且毫不掩飾自己耿耿於懷的情緒。這些言行，與其說展示了她性格的另一面，不如說是讓她的形象更為豐滿。處處都要爭個勝，這才是本色的林徽因。傅斯年曾上書，請求政府接濟戰時陷於困境的梁家，其中提到林徽因：「其夫人，今之女學士，才學至少在謝冰心輩之上。」林徽因讀過原信，感慨萬千，在致函傅斯年感謝時說：「尤其是關於我的地方，一言之譽可使我疚心疾首，夙夜愁痛。」看來，傅斯年的贊詞正觸及了她內心的隱痛。

《書屋》二〇〇六年第九期

海上花開花又落

劉心皇《抗戰時期淪陷區文學史》有云：「周煉霞，號稱『煉師娘』，當時，與蘇青、張愛玲、潘柳黛等齊名。煉師娘不能不說有些才氣，書畫詩詞都有相當造詣，姿容也在女作家中最為豔麗。她在一首詞中寫出過『但使兩心相照，無燈無月何妨』的名句。」文學史著作中評介到周煉霞，這恐怕是唯一的一次。

所謂「齊名」，僅就當時的知名度而言。其實，除了同在上海、同是女性作者，她們之間缺乏可比性。蘇、張、潘是現代意義的作家，名聲主要建立在文學創作上；周雖然也寫一點新式小說散文，基本上還是屬於古典意義的才女，詩詞書畫各方面的才華之外，也以美麗風流聞名於世。前三人只是由於投稿、編刊，與文藝界相關人士有所接觸；後者則交遊廣泛，是上海文化名流圈內的活躍人物。

周煉霞，字紫宜，江西吉安人，九歲隨父移居上海，十四歲正式拜名畫家鄭德凝為師，十七歲從晚清四大詞人之一的朱孝臧學詞，又從徐悲鴻外舅、蔣碧薇之父蔣梅笙學詩。其酬唱之作，為一時所傳誦。人驚其才，譽稱「金閨國士」。上個世紀三十年代，周煉霞任上海錫珍女校國畫教師，並為王星記扇莊畫扇面出售。一九三六年，她的畫被選送加拿大第一屆國際藝術展，獲金獎。隨即，英國及義大利出版的《世界名人大辭典》載入其畫傳，可謂蜚聲海外。四十年代，她與馮文鳳、李秋君、顧青瑤、吳青霞、陳小翠、龐左玉、陸小曼等發起組織中國女子書畫會，為現代美術史留下靚麗的一頁。一九五六年，上海中國畫院成立，她是首批被聘為正高級職稱的女畫師之一。

周煉霞與陸小曼屬於同一類型的人，漂亮聰明、多才多藝而熱衷於社交。丈夫徐晚蘋曾供職於上海郵政局，抗戰時去了重慶，勝利後不久出任臺北郵政局長，退休移居美國洛杉磯。直到八十年代初，周煉霞去美國探親治病，兩人才團聚。其間整整四十年，她都獨居上海。特別是四十年代，她頻頻出入於各種詩人畫家的大小集會，左右逢源，應對自如，又生性灑脫，不拘小節，引得多方人士的追捧。上海各家小報，常刊登其緋聞逸事，一時豔稱「煉師娘」，儼然一位交際明星。對於一些不實之詞，她也不以為忤，一笑了之。

與周煉霞結交者魚龍混雜，但像冒鶴亭、許效庳、吳湖帆、瞿兌之、張大千、鄭昌午、江寒汀、唐雲、謝稚柳等等，都是滬上藝壇的頂尖人選。他們不僅因其美貌而傾倒，更為其才華所折服。

冒鶴亭可謂近代詩壇大家，輩分甚高，其對周煉霞的詩詞卻推崇備至，屢屢向人推薦。許效庳是詩界一狂人，他能看上眼的沒有幾個，與周煉霞卻十分投機，常去與之暢談詩詞，歸來稱「畫院中人，論詩詞，周煉霞第一，愧煞鬚眉」。有人說她的詩詞「咳吐珠玉，可以亂漱玉之真」，也並非誇飾之辭。且看劉心皇所引那首小令《寒夜》的全篇：「幾度聲低語軟，道是寒夜猶淺。早些歸去早些眠，夢裏和君相見。丁寧後約毋忘，星華灩灩生光。但使兩心相照，無燈無月何妨。」的確是頗得婉約派的真傳。

周煉霞才思敏捷，錦句脫口而出，更是令人嘆服。一次，書畫裝裱大師劉定之做壽，繪像徵題。冒鶴亭覺得難以下筆，裝裱只是匠人手藝，無典可用。正在躊躇，周煉霞說道：白描為之，何必拘泥於典故，即成七律一首：「瘦骨長髯入畫中，行人都道是劉翁。銀毫並列排瓊雪，寶軸雙垂壓玉虹。補得天衣無縫跡，裝成雲錦有神工。只今藝苑留真譜，先策君家第一功。」合座無不擊節。另一次詩會，課題歲寒用具，周煉霞詠風帽，有佳句：「覆額恰齊眉黛秀，遮腮微露酒渦春。」又有：「蓮花座上參禪女，楊柳關前出塞人。」因南海觀音和塞北明妃均戴風帽，人皆贊其用典信手拈來、如有神助。在場的詩人楊懷白卻不以為然，說昭君出塞乃在雁門關，而非「羌笛何須怨楊柳」的玉門關。周煉霞沉吟一下，提筆改為：「一龕法象參禪女，萬里明駝出塞人。」依然是對仗工整、平仄合度，意象則更為鮮明。

據胡文楷《歷代婦女著作考》記載，周煉霞早年有《小螺川詩稿》問世，是排印本，無出版社及時間，想是自費印出贈送的，今天已很難見到了。鄭逸梅曾見過她晚年親手錄存的詩詞集《螺川韻語》，作簪花格，不知此本現在何處？聊以欣慰的是，有愛好者將她的一些詩詞過錄，或相互間傳閱，或撰文時引用，使我們得以窺見其吉光片羽。在所見的有限篇什中，最值得稱道的，還要算她的詠物作品。許多不入詩的物品，在她的筆下卻別有情趣，令人讀來耳目一新。如詠鹹鴨蛋的七絕：「春江水暖未成胎，鹽海泥塗去已回。剖出寸心顏色好，滿山雲為夕陽開。」再如詠過濾嘴香煙的《清平樂》：「泥金鑲裹，閃爍些兒個，引得神仙心可哥，也愛人間煙火。多情香草誰裁，駢將玉指拈來，寵受胭脂一吻，不辭化骨成灰。」還有《消寒九詠》中的七律《手籠》，可稱這一類作品的代表作：「常共貂裘覓醉吟，相攜不畏雪霜侵。淺深恰護柔荑玉，開合頻牽細練金。密密囊中藏粉鏡，依依袖底擁芳襟。旗亭酒冷人將別，一握難禁暖到心。」手籠是女式裘皮大衣配套的服飾，可暖手，也可作袋包用，作者以此為主題，拉鏈、粉鏡盡入詩中，真所謂「詩有別才」。尾聯猶其細膩體貼，也是傳誦一時的名句。後任上海文史館副館長的江庸，曾不無戲謔地致函說：「鄙人枉活幾十年，尚未領會此等境界，希望賜予一握，如何？」

毋須諱言，人們樂於同周煉霞交往，一定程度也因其容貌出眾。愛美之心人皆有之，何況是那麼一批詩人、藝術家？！鄭逸梅說她「本身就是一幅仕女畫」，可以想見她當年的風采。即使到了晚年，美人遲暮，周煉霞也不乏追星族。前些年故去的華東師範大學教授、名詩人蘇淵雷，有「七十猶傾城」之句來稱譽她。一位曾經相識的外地詞人，贈其贊詞《虞美人》一首，並索其近照。周煉霞回寄了兩首《卜運算元》：「已是醜奴兒，那復羅敷媚，綠意紅情得暮春，弄影全無謂。香冷少年心，酒暖千秋歲，簾捲東風第一枝，花與人同醉。」「淡畫滿庭芳，遙唱春雲愁，不買胭脂點絳唇，本色何由褪。玉笛一絲風，吹過聲聲慢，似說無愁可解嘲，且鬥樽前健。」兩詞一連嵌入十三個詞牌名，依舊行雲流水，絲毫沒有生硬的感覺，令人歎為觀止。難怪詞學大師唐圭璋後來偶讀其詞作，相見恨晚，一再讓友人將手頭所有周煉霞的詩詞抄寄予他。

周煉霞周旋於各色人等，且自抗戰爆發起，即一直與丈夫分居兩地，紅杏自有出牆之時。有關這方面的風言風語也最多，她本人只是聽其自然。不過，文革期間交待「罪行」，她死活只承認與吳湖帆一人有過關係。吳湖帆是中國現代著名的畫家、收藏家，當時在上海畫壇與張大千平分秋色。經冒鶴亭的介紹，兩人相識，一見生情，後常有約會。在兩人親密接觸的那段時間，周煉霞的畫技大增，吳湖帆也潛心詞藝。吳湖帆《佞宋詞痕》裏收了不少兩人的唱和之詞，並附錄周煉霞原作多首。《佞宋詞痕》外編《和小山詞》即由周煉霞手書墨蹟影印，其中還有六首是她代為填寫的。與周煉霞過從甚密的，還有瞿兌之。此人為一名教授，專治古典文學，熟悉文史掌故，著有《劉禹錫集箋注》、《中國駢文概論》、《人物風俗制度叢談》等，並負責撰寫《辭海》職官部。周煉霞曾與之合寫過一冊《學詩淺說》，由香港上海書局出版。

文革期間，周煉霞也逃不過遭批鬥的命運。據說，她從不寫任何人的大字報，從不揭發別人。每次挨鬥時，只是口中念叨「我有罪我有罪」，其他一概不說。最後給她定罪的證據，誰會想到，居然正是劉心皇所引的「名句」。「但使兩心相照，無燈無月何妨」，這不是「不要光明、只求黑暗」，又是什麼？在那個瘋狂的年代，什麼事情都可能發生。吳湖帆住院手術，得知自己收藏的書畫文物被掠一空，自拔導管餓死。瞿兌之被污判刑，瘐死獄中。同行姐妹中，陳小翠在家裏開煤氣自盡，龐左玉在學習班跳樓身亡。周煉霞被紅衛兵毆打，一目受傷，幾乎失明，她卻不曾有輕生的念頭，而是請人刻了兩枚印章，一枚用楚辭句「目眇眇兮愁予」，一枚用成語「一目了然」，後來還將之鈐在其書畫作品上，可見其處世的態度與個性。

周煉霞的眼傷，歷十餘年未曾痊癒。直至改革開放之際，丈夫由美國回來探親，將她接到洛杉磯治療，方復明如初。其時，她已經是七十多歲的老人了。之後的日子，她大都是在美國度過。和當年與她「齊名」的張愛玲一樣，最終是客死他鄉。

與張愛玲在中國大陸掀起持續的熱潮不同，周煉霞的名字多年無人提及。她去世的消息，除了幾位親友，大洋此岸，恐怕沒人知曉。兩人間巨大的反差，自然由於不可抗拒的客觀原因所決定，但是，曾在大上海文藝界風光占盡的一代才女，本不該就這樣被時尚的洪流淹沒得無影無蹤。所幸的是，近年某些書刊上偶爾有談及周煉霞的，儘管僅是些掌故逸事。希望有心人，能從周煉霞的家人或健在的友人那裏，盡可能地收集齊全她的詩詞、乃至書畫作品，刊布於世。那將是對周煉霞本人最好的紀念，也是為那座城市、為那個時代留下一個倩影。

《博古》二〇〇五年第一期

錢鍾書用過的室名

古代的文人喜歡給自己的住所起個名號，既可以「正名」，又可以「言志」，真是不錯。許多現代知識分子，也頗有這種雅興。錢鍾書便是其中之一。

錢鍾書第一次公開自己的室名，是執教西南聯大期間。他在聯大教授主辦的《今日評論》週刊上，連續發表了四篇「冷屋隨筆」。這些文章後來均收入《寫在人生邊上》一書裏。「冷屋」應是指他在昆明文化巷十一號內的宿舍。

錢鍾書晚年將自己的詩集定名為《槐聚詩存》。人們都知道，「槐聚」是他的別號，但這個詞，最早出現在他曾用過的一個室名中。一九四五年，他在傅雷主編的《新語》上刊出幾首舊體詩，總題《槐聚廡詩》。錢基博、錢基厚兩家為避戰亂，在上海法租界合租一幢小樓，即「辣斐德路錢家」。一九四一年夏，錢鍾書由湘返滬，便與妻女擠住樓內的亭子間中。「槐聚廡」想必指的此處。後來，有人問「槐聚」之意，錢鍾書回答，典出自元好問的詩句：「枯槐聚蟻無多地，秋水鳴蛙自一天。」其實，寫於一九四二年的《談藝錄・序》裏，就曾用過這個比喻：「予侍親率眷，兵罅偷生。如危幕之燕巢，同枯槐之蟻聚。」

錢鍾書〈《宋詩紀事》補正〉題記的落款是「槐聚識於蒲園之且住樓」。楊絳〈記《宋詩紀事》補正〉中說：「我家曾於一九四九年早春寄居蒲園某宅之三樓，鍾書稱為且住樓。」這「蒲園之且住樓」，即林子清《錢鍾書先生在暨大》中提及的「搬到蒲石路（又名長樂路）」。解放前夕，錢家其他人先後離去，「我們仨」租居整幢樓房，在通貨膨脹迅猛的年代，顯然不適宜。錢鍾書由辣斐德路搬到「蒲園某宅之三樓」，不知是否由於這個原因？

《槐聚詩存》收有《容安室休沐雜詠》十二首。據楊絳《我們仨》記載，一九五二年，院系調整，錢鍾書一家從清華園搬入新北大的中關園，整座住宅面積七十五平方米，稱「容安室」或「容安館」。「容安」取自《歸去來兮辭》中的「審容膝之易安」。《雜詠》第一首可作解題：「曲屏掩映亂書堆，傢俱無多位置才，容膝易安隨處可，不須三徑羨歸來。」近日由商務印書館影印出版的《錢鍾書手稿集——容安館札記》，就是在這裏寫的讀書筆記。

錢鍾書用過的室名，也許還有一些。僅從上述幾個可見，它們都多少反映出錢鍾書當時當地的心情、心境、心態。遠離妻女家人，獨在一所避寇僻地的大學任教，把宿舍叫「冷屋」；孤島淪陷，一大家子人擠居一處，取名「槐聚廡」；解放前夕，文人紛紛「南下與北上」（錢理群語）之際，將居所名為「且住樓」；解放初期，知識分子思想改造之時，取「容膝易安隨處可」之意，稱作「容安室」或「容安館」。這些名稱，都很是耐人尋味。

楊絳〈記錢鍾書與《圍城》〉中說：「《槐聚詩存》的作者是個『憂世傷生』的鍾書。」我們從錢鍾書用過的室名上，也可以看到一個「憂世傷生」的錢鍾書。

《開卷》二〇〇三年第十二期

通人張舜徽

孫犁《書衣文錄》一書中，有「愛晚廬隨筆」一則，記為近人張舜徽著，湖南教育出版社一九九一年版，僅印七百五十冊，極為少見。孫犁說，該書內容廣泛，經史文藝，無所不包，且所記充實有據，為晚清以來筆記所少有。又說：「余孤陋，不知張氏學歷、生平，詢之在大學教書之姚大業君，得知為歷史學家。從其自序中，知有著作多種，然姚君亦不能告知其詳也。」

讀過曹聚仁《中國學術思想史隨筆》的人，大概會留有印象。其中寫道，有人問他，在新中國，研究國學的，還有沒有如錢穆那樣博通的人？曹聚仁哈哈大笑，回答說：「且不說馮友蘭、顧頡剛等人，都在北京繼續他們的研究，而張舜徽先生的經史研究，也在錢賓四之上。」那還是一九七〇年的事，當時張舜徽若干重要論著尚未問世，能作如此判斷，可謂慧眼獨具。近年來，華中師範大學出版社陸續推出《張舜徽集》，前兩輯現已刊行，計十卷十四種。難得一見的《愛晚廬隨筆》，也在新版之列。

張舜徽，一九一一年出生於湖南沅江的一個書香世家。幼年隨父鑽研樸學，十七歲到北平求學，寄寓姑父余嘉錫家中。余氏著有《四庫提要辨證》，時任輔仁大學教授。經其介紹，又得機會求教於吳承仕、錢玄同、陳垣、鄧之誠、楊樹達等學術名流。一九三二年，張舜徽回到湖南，歷任中學教師。一九四二年受聘於藍田國立師範學院，一九四四年受聘於民國大學，一九四六受聘於蘭州大學。一九五〇年往武漢，任教於中原大學，後隨校併入華中師範大學，直至一九九二年去世。如此簡歷，本屬平常，可想到他從未上過學，沒有任何文憑，較之總算讀過中學的錢穆，又是一奇。

張舜徽的學術道路較為暢通，與師友的褒獎與提攜分不開。他在北平時曾以同鄉晚輩的身分，問學於時為清華大學教授的楊樹達。抗戰爆發後，楊樹達返回故里，供職於湖南大學，曾多次邀請已在藍田國師的張舜徽前往共事，函云：「達一生無他長，惟樂於賢己者處，達可以進學耳。」老輩學者如此器重，使他在學界口碑甚佳，這才有後來各大學的破格聘請。顧頡剛年長其十八歲，本無私交。讀過張舜徽《清人文集別錄》等書後，顧頡剛特此修書盛讚：「先生所著諸書，示學者以途徑。啟牖之功，實在張香濤《輶軒語》、《書目答問》之上。然彼二書，對我輩之效用已極巨。先生別白是非，指明優劣。上紹向、歆之業，下則藐視紀昀之書，其發生影響之大，固不待言也。」中國目錄學奠基於劉向、劉歆，集大成於紀昀、張之洞，此處卻用他們來烘托，足見其對張舜徽的推崇，真是無以復加了。

張舜徽去世後，蔡尚思撰文稱，舊時所謂經、史、子、集等部圖書都讀得多，研究得深，且有自己見解的，可叫做「通人」。他認為，張舜徽無愧為有學問的「通人」，而整個二十世紀只有柳詒徵、錢穆和張舜徽等少數人真正夠得上這個稱號。張舜徽在治學上確實從不以專家自限，始終以通人自勵。《愛晚廬隨筆》中有「專家與通人」一條，專論兩漢博士之學和通人之學的區別。博士之學，囿於一家之言，專己守殘，流於煩瑣；通人之學，則所見者廣，能觀其全，所以啟示後世途徑者尤多。

所謂通人，首先是能夠會通經、史、子、集。張舜徽治學，正是由小學入手，進而鑽研經學，推而廣之，遍及子、史、集各部，每個領域均有卓越的建樹。其治小學所得，有《說文解字約注》；治經學所得，有《鄭學叢著》；治子學所得，有《周秦道論發微》；治文集筆記所得，有《清人文集別錄》、《清人筆記條辨》；治史學所得，有匡正舊史的《史學三書平議》，有創立新體的《中華人民通史》；治文獻學所得，有《中國文獻學》、《廣校讎略》、《漢書藝文志通釋》；治學術史所得，有《清代揚州學記》、《清儒學記》等。縱觀二十世紀中國學術史，再加上此前的「近三百年」，像這樣融會貫通、氣象恢弘的學者，恐怕也是屈指可數吧。

通人的另一個重要標誌，是見識的通達。其持論貼切，關鍵在於不拘泥，能穿越迷思，洞悉事理，如《愛晚廬隨筆》中的「歷史上之英傑人物」條。民族的對立與統一先後有異，歷史上的民族英雄該如何評價，向有爭議。張舜徽指出，在今日而言民族大義，自當以中華民族為前提，對於歷代對少數民族用兵之將領，不必著重稱道其民族氣節，而名之為民族英雄。但考慮到其中有人任事之堅毅、膽識之果敢，實非尋常人所能企及，仍足以為後世楷模，又不可不載入史冊。他主張史書不立「民族英雄」之目，而設「英傑」一門，來統攝岳飛、文天祥、史可法諸人。以「英傑」替代「民族英雄」，可謂膽識過人之舉，卻又是最為圓通之策。歷史上所謂民族英雄的民族氣節，之所以令人感動，連敵方也不能不敬重者，根本在於氣節，而不在於狹隘的民族觀。前些時候，關於明清之際的臺灣將領施琅，有過激烈爭論。有人以其行為加速了民族國家統一為由，為之翻案。其實，施琅值不值得歌頌，應該看他是不是「英傑」，是不是具有「任事之堅毅、膽識之果敢」，是不是「足為後世楷模」。今天，許多人尚未明白問題所在，張舜徽早就把道理說得通透了。

《書脈》二〇〇八年第一期

「與我相合」

黃裳與王元化，都是當今上海碩果僅存的前輩學者。但由於他們治學的領域及路數各不相同，很少有人將兩位並稱的。最近，偶翻王元化的《九十年代日記》，意外地讀到其中抄錄的兩封黃裳信函。

日記一九九四年四月一日所錄黃裳來函云：「陸灝仍未將尊著送來。前匆匆翻閱一過，深以此種讀書筆記為有益有趣，惜近來少有注意及此者。聞《夜讀》已成珍本，有讀者欲購，必須另購五百元他種書，方允售一本。誠書林盛事也。」可以看出，是王元化通過某種途徑告之，已將新著《清園夜讀》託人轉贈，黃裳等不及，並先由別處「翻閱一過」，又聽說一樁「書林盛事」，於是寫了這封信，一併通報。關於書賈之奇貨可居，確有其事。日記一九九四年五月三十日另有記載：「錢鋼來說，他到鳳鳴書店購買《清園夜讀》，需購書滿五百元，但可講價。」

日記一九九九年十一月十一日所錄黃裳來函云：「承賜《清園文稿類編》，甚謝。此書排印、裝訂，俱臻上乘。解放以來，未見有如此印製者。開本闊大，最便老眼。復經精校，數日來泛覽所及，尚未發現錯字，可稱善本。分類編之，尤便檢尋。裳最喜尊著，以為文字淵雅，條理明暢，正是當代理論家第一人。日來重讀，尤感浹心。」此為收到贈書的回謝。黃裳是藏書家，注重版本，他說「解放以來，未見有如此」，尤不可視為一般的應酬客套。《清園文稿類編》為書籍精品，不言而喻。

前一封信稱「珍本」，後一封信稱「善本」，正是黃裳興趣所致。關於書的內容，除了讚美寫法與文筆，卻隻字不提其思想和學術的價值。對王元化這樣思想型的學者，這一番恭維，似乎有買櫝還珠之嫌。

然而，真的這樣看問題，不免太簡單化了。首先，王元化本人便不會有如此想法。他在日記中將來信原文照抄，出版時也不加刪汰，不說是引以為榮吧，至少是很看重信裏贊詞的。其次，王元化晚年出書，在條件允許的情況下，確實是講究版式、裝幀，精益求精。好書，應該有品有相，可供珍藏。深受傳統文化薰陶的文人都有此種愛好，王元化更是有過之而無不及。黃裳《妝台雜記》有文寫道：「王元化著《京劇與文化傳統叢談》，繁體字排印線裝，乙亥（一九九五）歲末自印藏本五十冊。作者以一冊見贈，……」有出線裝本雅興的學者，今天真是難得一見了。

王元化一再以精品相贈，自然是投其所好，但他並沒有將黃裳僅僅看作一位藏書家。《九十年代日記》一九九四年八月二十五日有：「讀黃裳《河裏子集》，其中觀點有與我相合者，黃文早出，當時未見也。」《河裏子集》是一部雜集，除書話、遊記等黃裳擅長的文章，尚有部分雜文，涉及文化與社會批評。王元化所謂「其中觀點」，應出於此類文字。而稱「與我相合」，自有「英雄所見略同」之意。至於「黃文早出，當時未見」，簡直有些「相見恨晚」了。王元化近年來以「思辨」聞名於世，能被他引為思想上不謀而合的同道乃至先驅，黃裳的見識必有深刻獨到之處。

黃裳讀王元化的書，關注的是掌故與版本；王元化讀黃裳的書，關注的則是思想觀點。透過黃裳的視角，我們發現了王元化身上的文人情趣；透過王元化的視角，我們留意到黃裳文中的思想見解。平常被一般讀者忽視的一面，昭然若揭。這真是一件有意思的事。

《開卷》二〇〇五年第八期

寧靜雋永讀谷林

當年，《讀書》雜誌上刊出署名於飛的《綠窗下的舊風景》一文，配上丁聰繪製的漫畫肖像，讓一位筆名谷林的文化老人浮出水面。會計出身、在中國歷史博物館整理《鄭孝胥日記》，一邊為《讀書》做義務校對，一邊在該刊上發表一篇篇清新優美的讀書小品，這些都給讀者留下深刻的印象。接著，「讀書文叢」中的《情趣・知識・襟懷》和「書趣文叢」中的《書邊雜寫》先後問世，使谷林躋身於名家的行列，趁著那時的書話熱，也算是風行一時。再往後，《讀書》換帥易幟，谷林這個名字便從這份刊物淡出。只有《文匯讀書週報》以及後來的《萬象》上，偶爾還能看到他的文字。

不太在主流讀書報刊上露面的谷林，並沒有荒疏筆墨，而是轉移陣地，進入悄然興起、勢頭正旺的民間讀書報刊。湖北十堰新華書店辦了一份《書友》報，因谷林曾在新華書店總店工作，他們透過關係與之聯繫，於是，《書友》每期都刊有一篇谷林的新作。最初人們是看《書友》讀到谷林，慢慢地變成了為讀谷林而看《書友》了。內蒙古《清泉》報的主編，早與谷林有通信來往，一日突發奇想，寄去一疊 A4 打印紙，共四十五頁，每頁印一個問題，留下空白，讓老先生就在上面填寫。谷林覺得有趣，認真做起答卷來。這便有了那本張阿泉問、谷林答、止庵編的《答客問》。南京的《開卷》雜誌名流匯集，谷林的文字和相關資訊也時常出現其間。該刊策劃主編的「開卷文叢」第二輯中，推出谷林的第三部讀書小品《淡墨痕》。集中所收，均為第二個集子出版後所寫的文章，精彩紛呈。最近，有人又在收集、整理谷林的書簡，據說不久將正式出版。

谷林既不曾是名作家，也不曾是名學者，又沒有仕途上的大起大落，受到如此禮遇，完全依賴他獨具魅力的人格與風格。在今天這樣緊張、浮燥的世界裏，很難再找到如此生性淡泊、靜默的人了，何況寫著一手典雅、雋永的文字。谷林的文體與他的生活一樣，純樸而潔淨，但讀他的文章，不止是回歸心靈的寧靜，更有讓人低徊不已之處。在《關於儲安平》一文中，他寫道：「我自幸與儲安平沒有值得提起的個人交往，於是無災無難，足衣足食，怡然頭白。只不知天下後世論史研哲之士，怎樣探討人生的意義和價值，怎樣闡釋求真責善的含蘊——不過不去理會這些也罷。」這真是所謂「言有盡而意無窮」啊。

可惜的是，這篇《關於儲安平》，還有《蔦與女蘿》、《短者，長之反》等篇什，都散落在谷林已出版的小品集之外。不知是老先生忘卻漏收了，還是有意刪汰？不論是哪一種情況，對於喜愛谷林的讀者來說，不免會有遺珠之恨。另外，他第一本讀書小品集《情趣・知識・襟懷》，今已絕版，許多愛好者多方尋購而不得，引為憾事。

《文匯讀書週報》二〇〇五年六月三日

谷林先生的另一面

二〇〇九年一月九日，谷林先生去世了。第二天，消息出現在網絡上。第三天，報紙上也有了報導。較詳細的是一篇專訪，採訪的對象是止庵、沈勝衣、揚之水，即《書簡三疊》的三位收信人。訪談綜述裏說：「谷林一生以讀書為終生志趣，溫和謙遜，淡泊名利。」在一般讀者的印象中，谷林大約便是如此了。

然而，人是複雜的。以前流行過一種理論，叫「性格組合論」，說人的性格是一個「二重深層整體結構」。理論有點晦澀，「二重」的意思卻很明顯，就是任何人的性格中都包涵著相互矛盾又對立統一的兩面。依照這種理論，「溫和謙遜，淡泊名利」，只是谷林的一面；他的另一面呢？

其實，谷林生前，對於將他單面化的傾向，多次表示不能認同。《書邊雜寫》後記裏提到，有人問他，平生可也曾有過「奮袂攘衿，怒目切齒」的時刻。他的回答是：「世間又哪來七情不全、六欲騙至的畸人」。在《答客問》中，被問及自己養生的秘訣，他的回答更加明確：「您指出『清心寡欲』、『淡泊名利』，這很好；我想了一想，以為還可以補充一條『適當運動』，包括見於形體的運動和不見於形體的運動，我的意思是，還該有一點關心社會的『憂生憫亂』的積極性。」

谷林不僅是這樣說的，也是這樣做的。他的書話中，常常表露出對歷史和現實的公共關懷，有的甚至觸及時忌。《書邊雜寫》結集出版時，就出現過這樣的插曲。致揚之水的信中寫道：「《雜寫》中流沙河的一篇、蕭乾兩篇，均不無違礙，今僅抽去梁漱溟一篇，可謂寬厚之至。」谷林的文章，居然會有未能通過審查的，恐怕是一般讀者很少注意到的事。當然，之所以會出現這種現象，與當時改革開放的程度有關。今天看來，即使那篇寫梁漱溟的《諤諤一士》，也沒有什麼「違礙」了。十年後出版的《淡墨痕》裏便收錄了該文，讀者不妨找來看看。

說到《書邊雜寫》一書的編輯，其間還有一件小事，很能體現谷林的個性。那就是他自己主動撤下了兩篇文章，後來也是重新收入《淡墨痕》裏。致沈勝衣的信中寫道：「抽掉的兩篇書話，是介紹費老的雜寫甲、乙集。他的文字流暢，也不俗不淺，因之頗喜歡，更加同情他無端窒息二十年。他與劉『道不同』不相為謀，此無可疑，只是我認為，當時他若『置之不理』，豈無不可？何必『挺身而出』！我這種激動和反感至今又過了二十年，也就淡化了，所以漸漸又想重溫舊好，有意思找機會再看看他的那些書。」對於費孝通在某個特定背景下的公開表現，谷林極為「反感」，一時「激動」，竟將評論其書籍的文章廢棄，可見他性格中耿介的一面，並非是毫無立場的一團和氣。

或許正因為偶爾也會「激動」，谷林對龍應台的文字頗為推崇。致揚之水的信中多次談及，如：「龍君今年才四十二，有火氣是應該的，或競可說是好事，不然，再過四十年，便將復成一團爛泥，再立不成個間架了。她尋隙生事，惹氣吵架，是否暗中有一分慈航普度的哀矜之心？她說：『關起門來做個好母親，夠嗎？』近夫聖賢詆斥鄉愿用意了。」又如：「龍應台書兩種，小的一本前日看畢，大的一本頃亦讀了一半，喜不自禁！足下厭她嚷嚷，她的大書中有《北京印象》兩篇，一篇曰《吵架》，一篇曰《打架》，這是否要叫閣下吃驚，我竟然喜歡吵架和打架！……我其實是愛打架的，而近四十幾年裏竟沒有被打成這個或那個，想起來總感到慚愧，覺得自己太世故了，太畏縮了。」這最後一句話，尤其意味深長。人們往往因為自己沒有犯錯誤而慶幸，谷林卻因為自己沒有犯錯誤而自責。當今形形色色的犬儒主義者，讀到這一節，不知會有何感想？

魯迅曾經批評過朱光潛的一個觀點，即認為陶淵明「渾身都是靜穆」。在他看來，陶淵明身上既有「靜穆」的一面，又有「熱烈」的一面；既有「菩薩低眉」的一面，又有「金剛怒目」的一面。谷林何嘗不是如此。他的內心，可以說，既有「溫和」的一面，又有「激動」的一面；既有「淡泊名利」的一面，又有「憂生憫亂」的一面。不能僅看到他的一面，而忽視了他的另一面。只有全面、完整的理解谷林，才是對他最好的紀念。

《開卷》二〇〇九年第三期

范用與綏青

繼《泥土・腳印》之後，范用先生又推出了《泥土・腳印（續編）》。兩本書雖然都是散篇的彙集，但其中回憶性文章較多，如果將之串聯起來，大致可以當作這位出版家的自敘傳來讀。

《泥土・腳印（續編）》裏有一篇附錄，題為《咸寧批判》。一九六九年，在湖北咸寧幹校，作者遭批鬥，這篇文字便是一次批鬥會的發言記錄。令人矚目的是，揭批者多次提到俄國著名出版家綏青和他的回憶錄《為書籍的一生》。如：「欣賞舊俄書商綏青的一套出版經營。」「是資產階級出版家，而非無產階級革命者，《為書籍的一生》是奮鬥方向。」

最早將《為書籍的一生》這部名著介紹到中國來的，正是范用。一九六一年，已是三聯書店領導的范用，剛拿到該書的俄文原版，便去找翻譯家葉冬心，請他譯成中文。一九六二年正式列入計畫，開始翻譯，一九六三年譯畢，隨即公開出版。值得一提的是，書名的翻譯由范用與譯者商討多次後才定下來。起初譯作《為書籍而生活——一個出版家的自白》，後又改為《書業春秋》、《綏青回憶錄》、《把生命獻給書》等等。范用以為《把生命獻給書》這一書名，語氣似乎過重了，建議用《為書籍的一生》，譯者欣然同意。應該說，綏青的這部回憶錄在中國得以流行，范用是付出很多心血的。

《為書籍的一生》於一九六三年由三聯書店出版，一九八一年曾再版，二〇〇五年初又由廣西師範大學出版社重印。新版書前的汪家明《推薦序》中寫有這樣一段話：「范用先生的經歷與綏青有某些相似之處：同樣十五六歲進入出版業，同樣生活在一個黑暗與輝煌交織的時代，同樣靠自學和勤奮成就一份大事業，同樣在出版實踐中結識許多作家學者並成為好朋友，同樣有為普通大眾出版價廉質良的圖書的夢想和追求，還有一點——同樣『為書籍的一生』。」

將《咸寧批判》裏相關的文字與這段話對照著讀，讓人感慨不已。基於同一事實，竟有截然相反的評價。當年因此遭批鬥，而今因此受頌揚，價值判斷完全倒了個過。世事變幻，真的如杜甫《可歎》一詩所云：「天上浮雲似白衣，斯須改變如蒼狗。」

《文匯讀書週報》二〇〇六年五月十九日

卷三

書邊瑣記

關於吳宓致林語堂的一封信

老《萬象》的老闆平襟亞出過一部《作家書簡》，全部手跡影印。因正值天翻地覆之際，雖然印數不少，卻未能廣泛流傳。近日有位張澤賢先生以此書為母本，略作增刪，加上些文字，編了一本《現代作家手跡經眼錄》。其價值在於複製原書圖影，使一般讀者能一睹這些難得一見的手札；不足的是，無論是點校排印，還是解釋評析，都存在大量硬傷。例如，其中所收吳宓的一封信，僅過錄一遍，錯誤就不下五六處。現對照圖影，重新校訂如下：

> 《徐志摩與雪萊》一文，本嫌過於自贊，引詩句太多，乃承登出，而尊作按語尤極通妥，甚感甚感。前函言正在撰作評尊作 my country & my people 一文云云，乃以近日清華校潮鼓蕩，居處不寧（弟向住校內），兼以他故，致未作出，然意思已完具，不久定必寫出就正也。其他擬作之文，題材均有，當照日前ｘｘ先生複示所指示者，一一依序作出，隨時寄上。至《人生問題大綱》，已二次刊登，退回不登，弟決無微憾。錢鍾書君由牛津函言，曾作《吳宓詩集》介紹短文，係廣告式，寄交尊處，求刊佈云云。按十二期文前，登有中華書局廣告半面。中以《吳宓詩集》居首，讀者已盡知。

倘再介紹，反成蛇足。況拙作能於中，與世之讀者相見，已引為大幸，而弟所希望與兄之文學的合作，最好無形跡（不見之於文字，不使一般人注意及之）、無勉強（即弟作文之立意遣詞完全由我，不稍事揣摩，而兄對於吾稿之去取增刪，亦完全由自己，不稍事遷就。如此方好）。今詩集在他處亦不乏介紹之文矣，故私意錢君鍾書之介紹廣告，直以不登為是。弟昔在《學衡》中，於同人之私的方面，亦限制極嚴，中國老話「公事公辦」，即謂「應客觀之事，當以客觀辦之」也。弟朋友中，有以下諸君，平日甚佩服其人，似可請其為投稿。(1) 梁宗岱（北平），(2) 陳逵（杭州），(3) 周煦良（暨南）、孫大雨（暨南），(4) 景昌極（南京中央大學）。外若銖庵，亦契友，已屢見其稿矣。此候日安　宓頓首

二

《現代作家手跡經眼錄》中稱，此信「不知寫於何年何月何日，更不知寫給何人」，又猜測是寫給陶亢德的。這一猜測還不算太離譜，陶亢德當時正和林語堂一起辦《宇宙風》雜誌，信中的「××先生」，極有可能是他。但信無疑是寫給林語堂本人的，因為裏面明確寫有「尊作 my country & my people」（《吾國吾民》）。

吳宓《徐志摩與雪萊》一文，於一九三六年三月一日發表在《宇宙風》第十二期上。所謂「尊作按語」，即指文前六百餘字的「語堂案」。按語開頭說：「雨僧此篇悼志摩亦所以自悼，過於坦白，吾

知其必為刻薄者所詬病。然吾深知雨僧，寧可使其真坦白，不可使其為假雨僧。」結尾又說：「雨僧以白璧德信徒而侃談戀愛，城中刻薄鬼，鄉下閒談婆聞之，自必如拾至寶，搬嘴弄舌詬誶之以為樂。雨僧自知不懂世故，囑我看看此稿，有無於己不利；我仍把他發表，不怕鄉下婆閒談也。惟我近日已『學乖』，作文戰戰兢兢，雨僧亦能稍懂世故，與我『學乖』乎？」吳宓一向「過於坦白」，關於自己的戀愛和苦惱逢人便說，又寫詩撰文，公諸於世。這不僅沒有贏得多少同情，反而招來刻薄的批評和閒話。看到林語堂這樣的按語，他自然覺得「尤極通妥」。

吳宓與林語堂早在留學美國時，就已相識。《吳宓日記》一九一九年九月十九日寫道：「林君人極聰敏，惟沉溺於白話文學一流，未能成為同志也。」雖然道不同、志不合，從日記上看，兩人當時還是有一定的「社交」來往。只是回國之後，各自忙碌，好多年都沒有接觸。吳宓的文章是怎麼交給林語堂，發在《宇宙風》上的？這封信又是何時寫的？《吳宓日記》一九三四年一月一日至一九三六年七月一日的部分遺失了，現在能看到的，只有一九三六年八月四日的記載：「晨，函（英文）林語堂，送其出國。以評文未能作成，深致歉忱。」這裏的「評文」，當是信中提及「正在撰作評尊作 my country & my people 一文」。此文後來似乎是不了了之。

這封信裏還提到另一篇投給林語堂的稿件：「至《人生問題大綱》，已二次刊登，退回不登，弟決無微憾。」查該文一九三五年八月曾刊於《清華週刊》第十卷第六號，一九三六年五月十五日又刊於《人物月刊》創刊號。所謂「已二次刊登」，說明寫信的時間應該在第二次發表之後。與日記合而觀之，大致可以確定，這封信是寫於一九三六年五月十五日至一九三六年七月一日之間。

二

吳宓信中還談到錢鍾書為《吳宓詩集》寫的一篇書評。李洪岩、范旭侖《為錢鍾書聲辯》一書，曾提供一條線索。錢鍾書於一九三五年《吳宓詩集》出版之際，即收到出版者中華書局的贈書，並有覆函：「敬啟者：奉到惠寄吳雨僧先生詩集，感謝無既。已為《人間世》作文介紹。專此覆謝，即頌大安。此上中華書局編譯所，錢鍾書頓首，七月三十一日。」《人間世》也是林語堂編的，曾於一九三五年六月五日的第二十九期上刊登錢鍾書的《不夠知己》書評，此後並無《吳宓詩集》書評。有人懷疑這篇書評是否真的寫了，因為錢鍾書給中華書局回信時，正忙於結婚、出國等事宜。吳宓致林語堂的信說的明白：「錢鍾書君由牛津函言，曾作《吳宓詩集》介紹短文，係廣告式，寄交尊處，求刊佈云云。」可見，他當時的確寫過一篇書評投寄林語堂處，一直沒有消息，到牛津後還惦記此事，寫信給吳宓談起。吳宓致林語堂信中，對於這篇書評的態度卻耐人尋味。

吳宓對錢鍾書的學識與才華極為欣賞，《吳宓詩集》中就附錄了好幾首錢鍾書的詩。但兩人性格不同，處事作風迥異，屬於「尊而不親」一類。錢鍾書在清華外文系讀書時，較親近的老師是溫源寧和葉公超，而吳宓與溫、葉二人的關係並不好。特別是溫源寧一九三四年在 The China Critic 七卷四號上發表 Mr. Wu Mi，A Scholar and a Gentleman 一文，吳宓一直耿耿於懷。得知有人以為他會認同該文，並引為知己，吳宓十分反感，在一九三七年二月二十八日的日記裏寫道：「嗚呼，溫源寧一刻薄小人耳，縱多讀書，少為正論。」有意思的是，該文初刊時未署名，許多讀者疑為錢鍾書所作。這使他不得不寫下一首七絕來辯白：「褚先生莫誤司遷，大作家原在那邊。文苑儒林公分有，淋漓難得筆如椽。」詩後有自注：「或有謂余為雨僧師作英文傳者，師知其非，聊引盧氏雜記王維語解嘲。」溫源寧的這篇文章後來收入他的人物速寫集 Imperfect Understanding，錢鍾書撰寫書評，在林語堂主編的《人間世》上發表。據說，林語堂對其將書名譯為「不夠知己」，大加讚賞。而將《吳宓詩集》書評寄給林語堂，正是緊隨其後的事。

吳宓當然不至於由溫源寧遷怒到錢鍾書，他也沒有看過那篇書評，可他並沒有按錢鍾書的意思去「求刊佈」，反而說「直以不登為是」。吳宓申明的理由雖然冠冕堂皇，卻總讓人覺得有些不近情理。他是否有什麼預感，覺得這篇書評會像溫源寧一樣「謬托知己」？

三

錢鍾書的書評投寄林語堂後，便出國了。不久，溫源寧為 T'ien Hsia Monthly 約稿，將《吳宓詩集》寄到牛津，讓錢鍾書撰寫英文書評。於是，一九三七年三月七日，錢鍾書以通信的形式寫了篇英文書評寄回。他很快覺得意猶未盡，又以英文重寫一篇正式的評論，並直接寄給了吳宓本人。

《吳宓日記》一九三七年三月三十日寫道：「下午，接錢鍾書君自牛津來三函，又其所撰文一篇，題目 Mr. Wu Mi & His Poetry，係為溫源寧所編輯之英文《天下》月刊而作。乃先寄宓一閱，以免宓責怒，故來函要脅宓以速將全文寄溫刊登，勿改一字。如不願該文公布，則當寄還錢君，留藏百年後質諸世人云云。至該文內容，對宓備致譏詆，極尖酸刻薄之致，而引經據典，自詡淵博。前半略同溫源寧昔年 China Critic 一文，謂宓生性浪漫，而中白璧德師人文道德學說之毒，致束縛拘牽，左右不知所可云云。按此言宓最恨……又按錢鍾書君，功成名就，得意歡樂，而如此對宓，猶復謬托恭敬，自稱讚揚宓之優點，使宓尤深痛憤。乃即以原件悉寄溫君刊登，又覆錢君短函（來函云候覆），告以稿已照寄。」四月十一日又寫道：「日昨接溫源寧寄回宓三月三十日所寄去之錢鍾書撰《論吳宓之詩》一文。附函，謂半月前錢君曾致溫君一函，中論宓詩，命刊登《天下》，業已登入。今此文更詳，礙難重登。應由錢君負其責也云云。宓即又以原稿，並溫函，寄回牛津錢君收，以了此公案云。」

錢鍾書何以想到將 Mr. Wu Mi and His Poetry 一文寄給吳宓，是不是因為聽說他曾阻止林語堂刊發中文書評，不得而知。評《吳宓詩集》的英文信刊於一九三七年第四期 T'ien Hsia Monthly 上，吳宓寄回的那篇正式評論則沒有下文。近年，楊絳整理錢鍾書遺稿，找到該文的一份不完全的草稿，上面有多處修改。她將其與那篇書信體的書評一併收入《錢鍾書英文文集》。兩相對照，除了內容的前後秩序有所調整，基本觀點和句子都沒有什麼變動。

還有一件事值得注意，即溫源寧的 Mr. Wu Mi，A Scholar and a Gentleman 一文，曾由林語堂譯成中文，廣為流傳，吳宓卻只「痛憤」溫源寧、錢鍾書，而不「痛憤」林語堂。讀《徐志摩與雪萊》按語中的「雨僧以白璧德信徒而侃談戀愛，城中刻薄鬼，鄉下閒談婆聞之，自必如拾至寶，搬嘴弄舌詬誶之以為樂」，就會明白，吳宓信中對林語堂示以友好，甚至推心置腹，並非僅僅是「盡社交之道而已」。吳宓與林語堂本不親密，對他的評論卻表示「尤極通妥」；與錢鍾書本應師生情重，私下卻頗多微辭。人事關係，原來如此微妙。

《博覽群書》二〇〇七年第八期

徐志摩《花之寺・序》殘稿

檢閱《新月》雜誌，見第一卷第四號及第十號補白處有凌叔華小說集《花之寺》廣告詞，其後注稱「節錄徐志摩本書序文」。全文如下：

> 寫小說不難，難在作者對人生能運用他的智慧化出一個態度來。從這個態度我們照見人生的真際，也從這個態度我們認識作者的性情。這態度許是嘲諷，許是悲憫，許是苦澀，許是柔和，那都不礙，只要它能給我們一個不可錯誤的印象，它就成品，它就有格；這樣的小說就分著哲學的尊嚴，藝術的奧妙。……
>
> 《花之寺》是一部成品有格的小說，不是虛偽感情的氾濫，也不是草率嘗試的作品，它有權利要求我們悉心體會。……
>
> 作者是有幽默的，最恬靜最耐人尋味的幽默，一種七弦琴的餘韻，一種素蘭在黃昏人靜時微透的清芬。……

徐志摩為《新月》雜誌編者，斷不會將別人文字誤認自己名下。況且僅從潛詞造句看，也完全是徐志摩的風格。這段文字《徐志摩全集》及《徐志摩全集補編》均未收，應算一段「佚文」了。

《花之寺》係「新月書店出版之小說」，一九二八年初版，之後曾再版。《晦庵書話》有「花之寺」一則，其中僅提到陳西瀅的序文：「卷首有《編者小言》，出於其外子陳西瀅手筆，惟稱所收小說為十四篇，我購得的《花之寺》既為初版，而全書僅十二篇，再版除了封面外，內容毫無變動，非付印時抽掉兩篇，《小言》不及改正，則必為外子筆誤無疑。」唐弢對新文學版本和文壇掌故都很感興趣，他見到的該書初版及再版，其中若收有徐志摩的序文，是不會不提及的。很可能最初釐定的計畫有徐的序，正式出版時，由於某種原因未能收進《花之寺》書中；後來，也沒有收入徐志摩的各種集子。現在，只留下這些摘錄出來做廣告的片言隻語了。

徐志摩與淩叔華之誼，青衫紅粉。《花之寺》的藝術價值，中國現代文學史自有公論。徐志摩序文殘稿中的溢美之詞，是否有愛屋及烏的嫌疑？此外，值得注意的是，從徐志摩現存的全部文字看，為別人的書作序，這是唯一的一次。

《開卷》二〇〇二年第三期

方令孺的一篇佚文

據《文匯讀書週報》二〇〇七年十一月九日報導，新出版的巴金研究集刊卷二《一粒麥子落地》中，首次披露了方令孺致巴金、蕭珊的十八封書信。這些書信寫於一九五九至一九六六年間，「當時方令孺在杭州，擔任浙江省文聯主席。周圍的許多作家都在寫『大躍進』等題材，方令孺也很想參與到時代大潮中去，但又苦於融不進去，因此在信中向她在上海的好友巴金、蕭珊夫婦傾訴心境。」對於研究那個時代知識分子的心態，這批書信無疑是非常有價值的史料。我最近找到一篇方令孺的佚文，題材正是關於「大躍進」的，與這批書信可以相互參照。

這篇文章題目叫《最新最美的詩篇》，是為《浙江大躍進民歌選》所作的序。該書由東海文藝出版社於一九六〇年三月出版。此文長達十二頁，約五千字，方令孺的幾本文集中均未收錄，目前所見的各種方令孺研究資料上，也未曾提及。

一九五七年底，時任上海復旦大學中文系教授的方令孺，被調到杭州，任浙江省文聯主席。她的前任宋雲彬在「反右」鬥爭中被撤職，組織上要物色一位合適的人選。選中方令孺有多種原因：一是她的女兒蕭文（陳慶絢）在浙江省委工作，二是她在文藝界有一定名望，三是她可能不會像前任那樣惹事生非。據巴金、章潔思（靳以之女）、吳中杰（方令孺在復旦時的學生）後來回憶，方令孺是不情願去的，工作、生活兩方面都有顧慮，但最後還是服從了組織的安排。

到杭州上任不久，「大躍進」在全國展開了，作為其重要組成部分的民歌運動，更是如火如荼。浙江省文聯收集本省的民歌出版，文聯主席方令孺為之作序，是順理成章的事。儘管組織上「不叫做具體工作，有事出出面而已」，方令孺卻像許多天真、善良的知識分子一樣，渴望與時俱進。《最新最美的詩篇》作為民歌選的序言，本是職務之內的應景之作，她卻寫得十分用心，可視為「很想參與到時代大潮中去」的例證。

這篇序言的時代印記特別明顯，可就文章本身而言，不失為一篇佳作。類似於何其芳當年寫的《詩歌欣賞》，方令孺優美的語言和對藝術的敏感，尚未磨滅殆盡。文中有些細節耐人尋味，例如，她在高度肯定和讚揚大躍進民歌的同時，不時轉而批評「資產階級文學」。「也許因為它（大躍進民歌）沒有資產階級文學那些矯揉造作，用許多徒然掩蓋空虛內容的辭藻，就使某些同好者不喜歡吧？」「……而不像資產階級文學，專以哀愁、惑亂動人。」熟悉現代文學的人都知道，作為新月派詩人和散文家，方令孺正是以辭藻華美、哀婉動人著稱。她寫下這樣的文字，暗地裏也意味著對「舊我」的鄙棄吧。

據說，方令孺致巴金、蕭珊的書信裏，流露出「融不進」時代的苦惱。肯定是這樣的。時代突飛猛進，個人卻已經定型。永遠站在時代前列的弄潮兒幾乎沒有，真正能夠抗拒潮流的也極少，大多數人必須適應時代的變化，由「舊我」蛻變出「新我」。這需要經過一段痛苦的歷程，而不能完成這一蛻變，則更加痛苦。這是個人的悲劇，也是時代的悲劇。崔健的歌中唱道：「不是我不明白，這世界變化快。」方令孺當年的迷茫和苦惱，庶幾近之。

《文匯讀書週報》二〇〇七年十一月十六日

是《狂人日記》還是《獵人日記》

劉鋒傑先生的《想像張愛玲：關於張愛玲的閱讀研究》一書，是論述張愛玲研究史的一部力作。本文意旨不在評價該書，只是試圖澄清其中的一處細節。

該書第一章轉引傅雷《論張愛玲的小說》中稱《金鎖記》「頗有《狂人日記》中某些故事的風味」一句，下有注釋云：「我認同『獵人日記』應為『狂人日記』之誤印的說法。當時論張，將其與魯迅相聯繫，已有胡蘭成。只因後來的流行意識形態排斥一切，才在過分純潔化的過程中壓抑了張愛玲與魯迅關係這類話語。邵迎建認為『獵人日記』非『狂人日記』。我不取此說。」那麼，傅雷原文中到底是「狂人日記」還是「獵人日記」呢？

在已出版的傅雷著作及相關資料中，一律作「獵人日記」；在關於張愛玲的數十種研究論著和資料集中，則多為「狂人日記」。有研究者還由此立論，比較《金鎖記》與《狂人日記》，進而比較張愛玲與魯迅。對於「狂人日記」一說，除了上述邵迎建書中有不同的看法，僅見余斌《張愛玲傳》中表示過疑惑。其註腳稱「此處《狂人日記》不知是指魯迅的還是果戈理的」，這是隱約地感覺到用魯迅的那篇小說作比不太合適。

仔細揣摩傅雷的原文便可發現，若是「狂人日記」，整個句子似乎不太通順。魯迅的《狂人日記》雖為小說，故事性卻並非其優勢。用其中的「某些故事」作為評估藝術價值的參照系，與理不通。而「風味」一詞雖與「風格」的意思相近，可說《狂人日記》有「風味」，有一定語感的讀者，不免會覺得彆扭。屠格涅夫的《獵人日記》（又譯《獵人筆記》）是一部小說集，其中自然有「某些故事」。屠氏小說具備詩的情調和特色，與《金鎖記》的抒情風格正相吻合，均可用「風味」來形容。

再說，傅雷是一位獨具個性的藝術評論家，有著不同於主流意識形態的見解，特別在當時。中國現代作家中，張愛玲之外，傅雷所推崇的惟有老舍。這篇《論張愛玲的小說》原稿中就有一段批評巴金的話，當年在《萬象》上發表時，被主編柯靈擅自刪去，為此，他還大發雷霆。至於魯迅，現存所有傅雷的文字都未見提及，不好妄加猜測。除了早年譯過屠格涅夫的散文詩，傅雷也沒有譯過他的小說。但包括屠格涅夫在內的十九世紀歐洲小說，像古希臘的雕塑、文藝復興的繪畫一樣，是傅雷心目中藝術境界的最高典範。因此，了解傅雷藝術趣味的人，便從沒有懷疑過用「獵人日記」作此附有什麼不妥。

然而，張愛玲的研究者和愛好者，絕大部分都認為應該是、或寧願相信是「狂人日記」。究其原因主要有二：其一，張愛玲長期受到文學史的冷落，欲為其爭得與魯迅齊名的地位，便有意將兩人並列比較。其二，將《金鎖記》與《狂人日記》對照閱讀，的確能夠發現二者之間有一些「可比性」。但這些理由都是「後設」的，憑此只能說我們認為張愛玲的《金鎖記》可比魯迅的《狂人日記》，不足以證明傅雷本意就是如此。

要知道傅雷的原文究竟如何，其實無須作繁瑣的考辨，翻一下《萬象》原刊即可。《萬象》一九四四年五月號第五十三頁上，赫然印著的是「獵人日記」，而且「獵」字是繁體，與「狂」字的字形相去甚遠。如果傅雷本人未作訂正，無論如何也不能想當然地認為「獵人日記」是「狂人日記」之誤印。剩下的可能性是，從《萬象》上轉錄《論張愛玲的小說》一文時，有人不慎將「獵」字誤植為「狂」字，後人不察，以訛傳訛，才會出現「狂人日記」一說。

綜上所述，是「狂人日記」還是「獵人日記」的問題，既關係到對張愛玲《金鎖記》的評價，也關係到對傅雷文藝批評標準的理解，更關係到當今文學研究中的某種學風。據趙元任《憶寅恪》一文所記，陳寅恪當年在清華國學院常對人說：「你不把基本的材料弄清楚了，就急著要微言大義，所得的結論還是不可靠的。」針對今天的學術界，這樣的告誡仍然是切中要害的。

《文匯讀書週報》二○○五年十二月二十三日

電話和信：寫在《圍城》邊上

《圍城》第三章寫方鴻漸邀請蘇文紈、唐曉芙二位小姐到「峨嵋春」吃飯，結果只有唐曉芙一人赴約。進餐時，方要唐的住址：

> 他看她寫了電話號碼，便說：「我最恨朋友間通電話，寧可寫信。」
>
> 唐小姐：「對了，我也有這一樣感覺。做了朋友應當彼此愛見面；通個電話算接觸過了，可是面沒有見，所說的話又不能像信那樣反覆看幾遍。電話是偷懶人的拜訪，吝嗇人的通信，最不夠朋友！並且，你注意到麼？一個人的聲音往往在電話裏變得認不出，變得難聽。」
>
> 「唐小姐，你說得痛快。我住在周家，房門口就是一架電話，每天吵得頭痛。常常最不合理的時候，像半夜清早，還有電話來，真討厭！虧得『電視』沒普遍利用，否則更不得了，你在澡盆裏、被窩裏都有人來窺看了。教育愈普遍，而寫信的人愈少；並非商業上的要務，大家還是怕寫信，寧可打電話。我想這是因為寫信容易出醜，地位很高，講話很體面的人往往筆動不來。可是電話可以省掉面目可憎的拜訪，文理不通者的寫信，也算是個功德無量的發明。」

一

方鴻漸關於電話和信的議論不能看作脫口而出的即興表演，他不只是說說而已。而第三章中，他確實從沒有主動撥過一次電話。他對電話的最初印象是厭煩：「這電話就裝在他臥室外面，他在家時休想耳根清靜。他常聽到心煩，以為他那未婚妻就給這電話的『盜魂鈴』送了性命。」這是小說第一次提到電話，方鴻漸的感覺在與唐小姐的對談中又有重申。方鴻漸也動過幾次打電話的念頭，如蘇文紈來電話告訴不能踐約後，他想再與蘇通個電話問唐曉芙是否去。再如後來，唐曉芙唇槍舌劍數落他一通，打電話以圖和解，他卻以為是蘇文紈打的，對著話筒厲聲臭罵，發現對方掛了，他又想再打，逼對方聽完。可是，不論出於怎樣的考慮，兩次他都沒去撥。還有，那天與唐小姐歡宴結束，要汽車行放輛車來送她回家，電話非打不可了吧，但小說中寫的是方鴻漸「吩咐跑堂打電話」。他可真是做到「言行一致」了。

方鴻漸對信的偏愛卻有些過分，近於「戀信癖」。第三章中就全文照錄了他好幾封信，有文言的，有白話的，他甚至還想用英文寫信。在與唐曉芙的交往中，寫信是方鴻漸激情的最佳寄託，那次飯後的一個多月裏，他與唐見面七八次，寫信給她竟有十幾封。「他寫的信變成一天天的隨感雜記，隨身帶到銀行裏，碰見一樁趣事，想起一句話，他就拿筆在紙上跟唐小姐竊竊私語，有時無話可說，他還要寫信的時候總覺得這是慰情聊勝於無，比不上見面；到了見面，許多話倒講不出來，想還不如寫信。」和蘇文紈撕破臉皮後，他寫信給唐曉芙，把自己的未來命運交付對方。等了四五天，沒有回信，他「把自己的信背了十幾遍，字字推敲，自覺並無開罪之處」，又寫了一封信。在與蘇文紈相處時也是這樣。由於方鴻漸曖昧的態度與冒失的舉動，常常弄出尷尬的局面。這時，他總是試圖用信來解決。一次關於扇上的題詩，他不知是蘇所作，信口揭露作者的剽竊行為，鬧得大家不歡而散。為挽回局面，更為在唐曉芙面前顯山露水，他寫了一封謊話連篇的信。另一次是他魂不守舍地吻了蘇後，回到家中趕緊去信表明態度，後竟可笑地以為蘇會失意而自殺，又追寫一封信去安慰——他對信的迷戀簡直可稱「迷信」了。

方鴻漸寧可寫信，不願打電話，這與他的生性有關。他是一個思想大於行動的人，擅長紙上談「情」。獨自一個或事後，思維很清楚；正面接觸，甚至通電話時，便常常處於被動，忙著應付，手足無措，要麼辭不達意，要麼信口開河。騙得周經理的資助，騙得博士文憑，都是透過信，若要當面交涉，怕一件也辦不成。他自覺或不自覺地偏好通信的習慣，正是潛意識地對直接交往缺乏信心。

二

唐曉芙討厭電話，有一個特別的理由，就是「一個人的聲音往往在電話裏變得認不出，變得難聽。」說「變得認不出」是事出有因。她剛剛打電話給方鴻漸，被周太太誤認為蘇文紈。這也為後來至關重要的誤會埋下伏筆。說「變得難聽」是別有一種潛意識作祟。她出身名門，聰明漂亮，「脾氣高傲」，但在蘇文紈的交際圈裏，她只能是那位留洋女博士的陪襯人。她卻不甘成為別人的附庸。說「變得難聽」正是在被誤認是蘇的前提之下，這多少流露出內心的不滿。那次赴宴前有些細節可作旁證，蘇電話通知她不去了，唐曉芙自己也不想去了；但蘇一再打電話催她回了方鴻漸，她卻決定非去不可。她對蘇的態度可見一斑。

唐曉芙不喜歡打電話，但她還是先後兩次主動打給方鴻漸。一次沒有打通，給她赴宴留下迴旋餘地，這是兩人關係發展的開始；一次打通了，卻被誤認為是蘇文紈，遭到莫名其妙的辱罵，這是兩人關係決裂的關鍵。儘管她後來對電話中的誤會已有察覺，終因心高氣傲，沒有再做努力。在唐曉芙與方鴻漸之間，電話不僅沒有能夠為溝通情感提供方便，反而造成他們更深的誤解，葬送了一段姻緣。

唐曉芙總共給方鴻漸寫過七封信，內容是什麼，文筆如何，我們無從知曉，可至少在方鴻漸的眼裏，這些信無疑是異常精彩、異常珍貴的。他用唐「送給他吃的夾心朱古力糖金紙匣子」裝著。匣子本是裝糖的，現在用來裝信，這兩者品味起來，不是甜在嘴上就是甜在心裏，況且糖與唐諧音，不知這是巧合還是有意安排？唐曉芙對方鴻漸的來信也很看重，大概也曾「反覆看幾遍」。最後一次見面，她出來時手裏拿個大紙包，是準備退還給方的來信，當時又沒讓方帶走。憑著唐的精明，怕不是一時遺忘。沒有給，似乎有藕斷絲連的不捨之意。之後在電話裏遭到莫名其妙的辱罵，才讓包車夫送去，並要「回件」，即收回自己寫去的信。信者，信物也，各自交還信件，自然情斷義絕，連挽回的可能性都沒有了。

對待信的態度，唐曉芙與方鴻漸基本上一致，而與蘇文紈相左。蘇是不太看重信的作用的，方給她的三封信，第一封看了，卻還要方在電話裏作補充；第二封連信封都未拆，就要聽方親口說；第三封更如泥牛入海了。僅從這一點看，方鴻漸與唐曉芙要算是「志同道合」，而與蘇文紈可謂「道不同不相為謀」。方鴻漸的親疏有別，決非心血來潮的選擇了。

三

說蘇文紈完全排斥通信，是不夠準確的。她先拿趙辛楣的信在方鴻漸面前賣弄，後拿曹元朗的信在唐曉芙面前炫耀，只是她自己從沒有寫過一封信。個人興趣，性情慵懶，都不是充分的託辭，這裏實有難言之隱。讓我們回顧一下方鴻漸說過的話：「我想這因為寫信容易出醜，地位很高，講話很體面的人往往筆動不來。可是電話可以省掉面目可憎的拜訪，文理不通者的寫信，也算是個功德無量的發明。」這當然是泛泛而談，可將它放在蘇文紈身上，卻也十分貼切。蘇是留洋的博士，可謂「地位很高」，至於講話的「體面」，方鴻漸初到蘇府就「誠心佩服」了。她的文字功夫如何呢？據小說交待，她寫有博士論文《十八家白話詩人》，到底寫得怎樣，沒人見過。可讀她偷外國民歌而作的詩，說「文理不通」不算冤枉。既然是被譽為「蘇東坡的妹妹」的大才女，寫出的信讓人無法卒讀，那可真是「出醜」了。最明智的做法只有一個：不寫。

和方鴻漸「寧可寫信」截然相反，蘇文紈是「寧可打電話」。在第三章中，她有案可查的打過十二次電話。如果留意一下蘇在該章節的地位及表現，就會察覺到她很像歐洲上流社會沙龍裏的女主人。方鴻漸、唐曉芙、趙辛楣、曹元朗、沈先生、沈太太，還有未出場的王爾愷都是圍著轉的行星或衛星，至於褚慎明、董斜川與她疏遠些，也因為他們不在圈子裏，引力未能發揮作用。這樣一個人物，自然習慣指使或干涉別人。她要把別人都揑在自己手中，隨時「叫來喚去」，而決不會將自己的命運交付別人。在這種情況下，電話無疑是往來周旋的最佳工具，既可達到傳情達意的目的，事情過後又沒有任何留痕，不像信，說不定就成了把柄或笑柄。

蘇文紈所打的電話，達到預期目的的並不多，但它們對小說情節的發展起著推波助瀾的作用。她的第一個電話是打給方鴻漸的，說是不能去峨嵋春赴宴了，然後接連打了三個電話給唐曉芙，讓她也辭掉方的邀請。不甘聽人調遣的唐曉芙偏偏與之擰上勁，隻身赴約，宴罷歸來，又聽說蘇來電話，「唐小姐氣憤地想，這准是表姐來查探自己是否在家。她太欺負人了！方鴻漸又不是她的，要她這樣管著？表姐愈這樣干預，自己偏讓親近。」蘇文紈一次次電話把唐曉芙推到方鴻漸那邊去了。後來打破三人之間明來暗往的平衡局面的，也是蘇文紈的三次電話。趙辛楣宴請、方鴻漸大醉的第二天，蘇文紈上午一個電話、下午一個電話去方處問病，晚上又來電話約方夜談，這才有方鴻漸鬼使神差的月下一吻。整章故事急轉直下，蘇文紈翻臉，唐曉芙反目，一場雲裏霧裏的戀愛遊戲，頓時煙消雲散。

四

我們已經看到，《圍城》第三章裏的電話和信，與方鴻漸、唐曉芙、蘇文紈三人的個性、處世原則以及故事情節的起承轉合，存在著種種天衣無縫的機緣巧合。此外，關於電話和信的選擇，還蘊藏著某些頗具典型的心理。

通信是有著悠久歷史的傳遞方式，而電話是近代工業文明的產物。在當今社會，兩種通訊工具並用，各有各的存在理由。一般人似乎並不深入地追究，但對於一些敏感的人，天平總是傾向於信的一邊。他們當然知道電話傳送資訊時的方便與快捷，但是他們總是念念不忘信在交流情感時的優勢。余光中有《催魂鈴》一文，專說電話和信的比較。所謂「催魂鈴」就是方鴻漸說的「盜魂鈴」。該文有一段文字與方、唐對侃的內容如出一轍：「比起電話來，書信的好處太多了。首先，寫信閱信都安安靜靜，不像電話那麼吵人。其次，書信有耐性和長性，收到時不必即拆即讀，以後也可以隨時展閱，從容觀賞，不像電話那樣即呼即應，一問一答，咄咄逼人而來。」董橋散文《一室皆春氣矣》主旨也是電話的薄情、信的多情。標題出自梁鼎芬致繆荃孫信中的一句：「寒天奉書，一室皆春氣矣。」文中說：「上一輩的人好像都比較體貼，也比較含蓄，又懂得寫信比打電話、面談都要有分寸的道理。」還說：「書信因為是書信，不是面對面聊天，寫信的人讀信的人都處於心靈上的孤寂境界裏，聯想和想像的能力於是格外機敏。」今天，我們在一些時新的雜誌和報紙副刊上，仍能常常讀到類似的言論，諸如寧願寫信不願打電話，寧願用筆寫不願用電腦寫等等。

如此聯繫起來看，電話和信的問題，實際上是一個文化心態的問題。

《書屋》一九九八年第一期

《圍城》中董斜川的詩

楊絳先生〈記錢鍾書與《圍城》〉中說：「有兩個不甚重要的人物有真人的影子，作者信手拈來，未加融化，因此那兩位都『對號入座』了。一個滿不在乎，另一位聽說很生氣。鍾書誇張了董斜川的一個方面，未及其他。但董斜川的談吐和詩句，並沒有一言半語抄襲了現成，全都是捏造的。褚慎明和他的影子並不對號。那個影子的真身比褚慎明更誇張些呢。」作者點到為止，未曾道出兩人的真實姓名。「錢學家」們卻早已考證，褚慎明係影射許思園，董斜川的原型則是冒孝魯，即《談藝錄》小引中提到的「吾黨言詩有癖者」冒景璠。

冒孝魯名景璠，別號叔子，著有《叔子詩稿》，安徽文藝出版社一九九二年出版，封面有錢鍾書題簽。一九三八年，冒孝魯由歐洲回國，與錢鍾書同船，遂定詩交。《叔子詩稿》與《槐聚詩存》中均收有兩人大量唱和之作。說小說「誇張了董斜川的一個方面」，自然沒有問題；說「董斜川的談吐和詩句，並沒有一言半語抄襲了現成」，語氣似乎過於肯定了。

董斜川的談吐頗為可笑，可細想一下，話說的還是很內行的。冒孝魯「言詩有癖」卻未留下文字，董斜川談詩的話有多少與之觀點接近，已無從核實了。但董斜川的詩句有些是確有「現成」來源的。

例如第一句：「好賦歸來看婦靨，大慚名字止兒啼。」此句曾引起在座幾位的一番談論。《叔子詩稿》收有冒孝魯一九三八年寫的《還家作》，首句即為：「婦靨猶堪看，兒啼那忍嗔。」錢鍾書是熟悉此句的，他在《得孝魯書卻寄》詩題記中還寫道：「余在昆明，孝魯寄示還家詩云：『婦靨猶堪看，兒啼那忍嗔。』余覆書謂君詩甚辣，此則似蜜漬薑，別是風味。」

再如「秋氣身輕一雁過，鬢絲搖影萬鴉窺」一句，曾引起方鴻漸的疑惑：「一萬隻烏鴉看中詩人幾根白頭髮，難道『亂髮如鴉窠』，要宿在他頭上？」一九三九年冒孝魯作《暑中懷客歲渡紅海時情景追紀以詩並懷同舟諸子》，詩中有：「憑欄錢子睨我笑，有句不吐意則那。顧妻抱女渠自樂，叢叢亂髮攢鴉窠。」錢子即錢鍾書，其時錢媛剛滿周歲，隨父母一同回國，故有「顧妻抱女」。而「攢鴉窠」的自然是錢鍾書的「叢叢亂髮」了。錢鍾書讀到這首詩時的感覺一定頗微妙，並留下很深的印象，才會有借方鴻漸之口，重提「亂髮如鴉窠」，算是對冒孝魯詩句的一個幽默的回應吧。

董斜川的詩句除了有從冒孝魯詩中借用改造的，也還有脫胎於錢鍾書本人詩作的。如「直疑天尚醉，欲以日偕亡」，就是出自錢鍾書《歐洲休戰紀念十七周年賦》詩中「人猶喜亂疑天醉，予與偕亡到日殘」一句。

《開卷》二〇〇四年第七期

《七綴集》中的一個訛字

《七綴集》裏《讀〈拉奥孔〉》一文中有:「從那簡單一句話裏，我們看出他已悟到時間藝術只限於一剎那內的景象了。」(上海古籍一九八五年版三一頁)「那簡單一句話」指的是《夢溪筆談》中所謂「凡畫奏樂，止能畫一聲」。沈括談的是畫而非樂，畫是空間藝術，樂是時間藝術，且是畫而非樂只限於一剎那內的景象，故句中「時間藝術」應為「空間藝術」之誤。

查《舊文四篇》知該句已作修改，原為:「從那簡單一句話裏，可見他對一剎那景象的一面觀的道理已稍微覺察。」(上海古籍一九七九年版二九頁)文中曾談及，萊辛認為「繪畫更是這一剎那景物的一面觀」。沈括覺察的顯然是空間藝術即繪畫的特徵，而非時間藝術的規律。

《管錐編》第二冊裏有一段內容幾乎一樣的話:「『止能畫一聲』，可參觀徐凝《觀釣台畫圖》:『畫人心到啼猿破，欲作三聲出樹難』，正萊辛『空間藝術』所謂於全事止能示某一片刻之某一面。」(中華書局一九七九年版七一九頁)其間，「空間藝術」四字赫然在目。

將「空間藝術」中的「空」誤寫為「時」，不是作者修改舊文時的筆誤，便是印刷排版時的誤植。可後來出版的《七綴集(修訂本)》(上海古籍一九九四年版三六頁)以及《錢鍾書集・

七綴集》（三聯書店二〇〇〇年版四二頁）中這個訛字仍未被校訂過來。

《文匯讀書週報》二〇〇一年七月二十一日

著書須先識字

張澤賢先生近日新出一書，名為《現代作家手跡經眼錄》。書名似乎不妥，應為《現代作家手簡（影印件）經眼錄》。這不算什麼大錯，問題是，這些「手跡」一遭「經眼」過錄，居然錯誤百出，令人不堪卒讀。隨便舉個例子，錢鍾書寫給朱雯的一封信，僅有七十九個字，作者就認錯了十五個，懵對了一個。

先看書中的「手跡釋義」（準確的說法是「手簡釋文」）：「前日得飽郇廚，並承嫂夫人洗手作羹，余白尚在口也，□□□（靈運圖）論詩比之蜀人之匽浙人之匽，嫂夫人文字既妙，烹飪亦魚清腴之美，真奇術也，專此布謝，余容還日，即□雯兄儷祉題祉。弟錢鍾書，內人同叩。」

錢鍾書此信並非稀見，陳夢熊《朱雯和錢先生交往記略》、羅厚《錢鍾書書札書鈔》均錄全篇，對照影印手跡，文從字順，並無歧義和訛誤。「余白尚在口」的「白」應為「甘」；「□□□（靈運圖）」應為「虞道園」；「蜀人之匽浙人之匽」的「匽」應為「庖」；「亦魚清腴之美」的「魚」應為「兼」；「真奇術也」的「術」應為「才」；「余容還日」的「還日」應為「面白」；「即□」應為「即頌」；「儷祉題祉」的「題祉」二字為原件所無；「弟錢鍾書」後缺「頓首」二字。錯字、衍字、缺字，共十五個。還有，「得飽郇廚」的「飽」，原稿寫的是繁體，食字旁，書中的「手跡識小」裏竟然說：

「用了一個字典上查不到的字，左耳旁一個包字，估計此字應為『飽』字的誤寫。」這算是懵對了一個。可自己辨認不出，卻誣人筆誤，真是貽笑大方。

類似識讀的錯誤，書中隨處可見。另外，字認對了，意思弄錯了、史實弄錯了的，也舉不勝舉。古人云「讀書須先識字」，現今卻有人，字都不識，便敢著書，讓人歎為觀止。

《文匯讀書週報》二〇〇七年六月二十二日

有關錢鍾書與合眾圖書館的三條史料

《文匯讀書週報》二〇〇九年九月十八日刊出錢之俊先生《錢鍾書與合眾圖書館》一文，作者根據《顧廷龍年譜》裏的記載，爬梳了相關內容，很有意義。我此前也關注過這個題目，收集了一些資料，只是覺得尚有許多空白點，未及成文。現拈出三條，作為補充，希望更多的人來提供線索。

一、《顧廷龍年譜》一九四四年七月五日記：「錢鍾書來贈《吳董卿集》。」（按：此句中的書名號為誤加，原書名應為《蒹葭里館詩》。）著者吳用威，字董卿，是錢鍾書好友冒孝魯的姑父，時任汪偽政府高官。該書為其子吳本鉞贈送錢鍾書的，現藏上海圖書館（合眾圖書館藏書後來都歸入上海圖書館）。書上有題詞「默存先生，甲申閏四月本鉞敬贈」，並鈐「吳本鉞」三字陽文方印。前些年有人撰文討論過錢鍾書與吳氏父子的關係。

二、《顧廷龍年譜》一九四四年九月七日記：「錢鍾書來，見假雜誌及《天地》兩冊。」（按：這裏「雜誌」兩字應加書名號，因為它是一份刊物的名字。）《雜誌》與《萬象》、《古今》是上海淪陷時期最著名的三大刊物。《天地》是蘇青編的一份刊物，當時也很流行。合眾圖書館主要收藏古籍，錢鍾書捐贈的卻有一些是最新的報刊，如一九四六年三月三十日「贈《週報》」，一九四七年一月二十八日「贈《思想與時代》」，大概是希望顧廷龍這樣一些舊學家也了解一點新資訊吧。這次的《雜誌》及《天地》，不是贈而是借，無疑是推薦某些內容給顧廷龍看。而這兩份雜誌當時刊發的內容，最引人注目的，是張愛玲的小說。如果這個猜測不錯的話，是否可以為「錢鍾書如何看張愛玲」這個話題提供一個旁證呢？

三、沈燮元《〈合眾圖書館董事會議事錄〉跋》記：「錢鍾書先生當時住在蒲石路的蒲園，和合眾相距不遠，因此常來看書。合眾當時大門不開，由後門出入，裝有門鈴。門鈴響了，每次開門不是保姆，便是顧老自己開。有一次，保姆和顧老都不在，鈴響了，由我去開，一看是鍾書先生（因錢先生經常來，雖未接談，但知道他是錢鍾書）。因顧老不在家，只好由我接待。他問我『尊姓大名』，我據實以對。後來他又聽出我講話有無錫口音，索性用無錫話來和我談話。談話中，得悉我是無錫國專畢業的，他聽後特別興奮（因為鍾書先生的尊人子泉先生曾在國專教過書），又問我有哪些老師。我告訴他有朱東潤先生，講中國文學批評史，我說朱先生跟吳稚暉先生去過英國，曾在倫敦西南學院肄業，同時又談到了他的叔叔孫卿先生，談話一下子從平淡無奇轉入了熱烈的高潮，他稱我為『密斯脫沈』，最後主動把他的地址給了我，囑我有空可以去看他。但天下事並不如人們所想像得那麼圓滿，蒲園我曾去過一次，但錢鍾書、楊絳先生兩位都不在家，否則的話，還有許多值得記載的東西記下來。」（按：此文原刊於江蘇收藏家協會主辦的《藏書》第四期。）沈燮元是當年合眾圖書館為數不多的幾位館員之一，後任職於南京圖書館，現已退休。「合眾圖書館捐書個人姓名索引」裏有他的名字，當然，也有錢鍾書的名字。

《文匯讀書週報》二〇〇九年九月二十五日

錢鍾書的一副諧聯

《文匯讀書週報》二〇〇六年九月八日歐陽亮先生《黃裳〈插圖的故事〉》一文寫道：「黃裳是著名藏書家，錢鍾書先生曾戲贈一聯『遍求善本癡婆子，難得佳人甜姐兒』，即是稱譽黃裳搜求古籍善本之勤。」既然知道是「戲贈」，怎麼能說「即是稱譽」呢？看來，作者對這一聯句的意思及其背後的故事不甚了了。

一九八〇年，黃裳在《再談禁書》一文中說：「一九五〇年初，我在北京住了一個多月，無事閒逛琉璃廠，在一家書店買到一小冊抄本《癡婆子》。這是我買的第一冊黃色古書。後來到清華園去訪問錢默存教授，談起此事，被他大大地取笑了一通。後來還寫了一聯詩相贈，那上聯就是『遍求善本癡婆子』。」《癡婆子》是古代著名的色情小說，與《金瓶梅》、《肉蒲團》齊名。「遍求善本」的藏書家，買的竟然是這種書，所以錢鍾書要「取笑」他。

至於下聯，黃裳當年沒有公開。二〇〇三年，李輝負責整理、編選《來燕榭書札》，黃裳提供了錢鍾書贈聯信的原件，附函有言：「偶檢得錢默存舊信一紙，因兄長文曾提到此事，得此為證，良佳。《書簡》前或可增原跡印本數通，此亦可增入，可增興趣。」黃裳為什麼遲遲才公開下聯？這裏面又有什麼「可增興趣」？關鍵在「甜姐兒」三字。上個世紀四十年代，剛剛出道的黃宗英，在電影界有

「甜姐兒」之稱。黃裳與黃宗江是少年同學，因而得以結識「小妹」。黃裳本不姓黃，取筆名「黃裳」，字面義是「黃的裙子」。典出自《詩經》和《周易》，也含有陶淵明《閒情賦》所謂「願在衣而為領，願在裳而為帶」之意。當時，朋友間都知道這麼回事，這才有錢鍾書「難得佳人」的諧謔。不過，將別人青春時代的夢中人與「癡婆子」構成對仗，玩笑開得有些過分，謔而近於虐了。所以，錢鍾書信中錄此聯後，立刻補了一句：「幸賞其貼切渾成而恕其唐突也。」

《文匯讀書週報》二〇〇六年九月十五日

來燕榭並非藏書樓

《讀書》二〇〇五年第十一期徐雁平先生《私家藏書之興衰》一文說：「像黃裳『來燕榭』那樣有規模有特色的藏書樓，在今日已是稀如星鳳……」其實，「來燕榭」並非什麼藏書樓。

坊間正銷售的《我的書房》一書裏，收有黃裳的文章《我的書齋》。其中寫道：「自從買書以來，我也曾經請名家刻過不少藏書圖記，不免也想出了幾種齋館名色，聊以自娛。前後也有了三五種。當然不過是紙上煙雲，並無現實的存在。……至於『來燕榭』一名，實取諸嘉興實境，記得是一次蕩舟之際，忽然瞥見，已記不得是哪裡的水榭了。這名目也是我喜歡的，所以至今還在用著。」

這裏說得很清楚，「來燕榭」是書齋名，而且是虛構的，「並無現實的存在」，只是請人以此三字刻過藏書印。黃裳擬名刻印的，尚有「斷簡零篇室」、「夢雨齋」、「草草亭」等。他最喜歡的還是「來燕榭」，曾多次用在自己的書名上，如《來燕榭書跋》、《來燕榭讀書記》和《來燕榭書札》。

也許正因為熟悉這些以「來燕榭」為名的書，了解黃裳的收藏「有規模有特色」，便誤會他真有一座「來燕榭」藏書樓了。

《讀書》二〇〇六年第三期

「讀書記」賣給誰了

《萬象》二〇〇三年十二期黃裳先生《舞文弄墨七十年》一文談到淪陷上海時說：「……寫了一些讀書記，把許多書本上的故事連綴起來，作為閱讀的紀念。後來，因籌集入蜀旅費，一股腦賣掉了。」這些讀書記賣給了誰呢？

一九九八年，遼寧教育出版社「新世紀萬有文庫」重印過一冊《蠹魚篇》。該書原為「古今文叢」的第二種，精選當年《古今》雜誌作者的長文八篇。原書朱樸序裏提到其中兩篇文章時說：

> 庚持先生之《四庫瑣話》，對有清一代文獻，鉤劃精詳；楮冠先生之《蠹魚篇》，於諸作中又自成一格，本叢書並即以此為題。

新版的「本書說明」指出：

> 作者周越然、周作人、陳乃乾、紀果庵、謝興堯、謝剛主都是本名或字，只有庚持和楮冠是筆名，即黃裳，原名容鼎昌。

《古今》是一種文史掌故、讀書札記類的雜誌，二十世紀四十年代初期創刊於上海，曾風靡一時。該刊第十九期「周年紀念特大號」上，有主編周黎庵所撰《一年來的編輯雜記》。文中提到一位以楮冠、魯昔達、韋禽、何勘、吳泳、南冠等為筆名的作者：

> 這是一個名不見經傳的腳色，我無須在這裏提出他的尊姓大名，所談的只是他的文字和他與《古今》的關係罷了。他的年齡很輕，到今年總還不滿二十五吧，而且更出奇的，還是一位最著名大學中電機工程科學生，然而讀書之多，文字之好，不獨我自愧不如，即在今日上海文壇中，不論成名與未成名的，也很難和他頡頏。然而能夠賞賜他的人，卻實在不多。我在《宇宙風》編輯時代，他已經用各種筆名寫文章了。《古今》決定要辦，我想只有他最有用處，經幾度的接洽，他便答應寫了。但是條件卻是非常的多，稿費之類，總是斤斤較量，一些不留餘地。……因為交稿付款的關係，我們經常見面，但是我們始終不能成為朋友。他的行蹤，似乎有些詭秘。而且我看得出，他並不十分看得起我，他替我寫文，只是賣文而已。……因為多產的緣故，他有時也不免抄舊書，但不著痕跡，其聰敏和才華，真是難得很的。

周黎庵看得一點不錯，黃裳當年的確是「賣文」，因為他需要一筆錢去四川。當時上海已經淪陷，《古今》的背景又頗為複雜，黃裳不願與之有深交，恐怕不完全因為看得起看不起。他要從敵佔區進入國統區，自然不想這許多人了解他的行蹤。顯得有些「詭秘」，正是一種警惕的表現。不過，他後來對在《古今》發稿一事，絕口不提。

前些年，曾為《古今》主要撰稿人的幾位老先生如周越然、謝興堯、謝剛主（謝國楨）、周黎庵（周劭）、文載道（金性堯），他們新出的集子裏，均收錄了刊於《古今》的文章。黃裳先生至今所有的集子中，卻未見一篇《古今》上的文字。當年「賣掉」的讀書記，會有收集、整理、出版的一天嗎？

《萬象》二〇〇四年第五期

煉句功深石補天

余秋雨先生《長者》一文，寫他的老師張可及其丈夫王元化。文後有注：「本文經王元化先生精細校訂，謹此感謝。」王元化到底做了哪些「校訂」呢？《九十年代日記》中有記載：「一九九七年十一月二日。余秋雨來，留下所撰《長者》，請我修訂。我向他說，我只改其中涉及張可和我兩人言行部分，使我們所說所作儘量符合事實。至於涉及秋雨本人的部分，我不能改。」日記中還舉例說，余秋雨記張可囑咐他學英文的談話，其中有「必須」、「應該」等字樣，被一律刪去。因為憑著共同生活數十年的經驗，王元化知道張可從不用這種社論式的命令詞。又如，余秋雨文中記錄王元化對張可的評語，經一再斟酌，修訂數次。日記裏保留了余秋雨的一段原稿，和王元化的兩次修改稿。

先來看一看余秋雨原稿中的文字：

> 張可心中無恨。從不相信鬥爭哲學，只散佈善良、和諧、溫柔、寬恕。跟我受了幾十年的苦，從未流露出一點一滴的抱怨。像我們這樣敏感的文化人，只要有一個眼色稍稍有點不耐煩，也能立即感到，刻下深深的傷痕，但她的眼睛裏從來沒有出現過這樣的眼色。

這裏的「鬥爭哲學」、「散佈善良」、「一點一滴的抱怨」、「刻下深深的傷痕」，都帶有「文化散文」的色彩，而「像我們這樣敏感的文化人」，更帶有余秋雨本人的話語特徵。王元化根據自己習慣的措辭、句式和語氣，在原稿上作了如下修改：

> 張可心中似乎從來沒有仇恨。我沒有一次看見過她以疾言厲色的態度對人，也沒有一次聽見過她用一個重字眼說話，總是那樣善良、柔和，待人總是那樣寬厚。幾十年來，我的坎坷生活給她帶來無窮傷害，而她從未流露出絲毫的不滿和抱怨。知識分子是很敏感的，只要一個眼神稍有表露，就立刻感到，但在她的眼裏，從來沒有出現過這樣的眼色。

之後，王元化仍覺得言不盡意，或意猶未盡，又加以精心地修訂和充實。最後的定稿是這樣的：

> 張可心裏似乎不懂得恨。我沒有一次看見她以疾顏厲色的態度待人，也沒有一次聽過她用強烈的字眼說話，總是那樣善良、謙和、寬厚。從反胡風到她得病前的二十三年漫長歲月裏，我的坎坷命運給她帶來無窮傷害，她都默默地忍受了。人受過屈辱後會變得敏感，對於任何一個不易察覺的埋怨眼神，一種稍稍表示不滿的臉色，都會感應到。但她始終沒有這種情緒的流露。這不是任何因丈夫牽連而遭受磨難的妻子都能做到的，因為她無法依靠思想和意志的力量來強制自然迸發的感情，只有聽憑善良天性的指引才能臻於這種超凡絕塵之境。

這是一段臻於完美的文字。余秋雨《長者》發表時，一字未動地照搬了。後來，張可去世時，王元化撰寫《送別張可》一文，也轉錄了這段話。

將前後幾稿對照比較，除了語感方面的磨合，尚有幾處頗具匠心。一，「心中無恨」，這一說法比較空洞，修改稿添加了具體的內容，使之有所附依。二，「跟我受了幾十年的苦」，是「從反胡風到她得病前的二十三年」，是由於「我的坎坷命運」，這些都是有必要交待清楚的。三，從「像我們這樣敏感的文化人」，到「知識分子是很敏感的」，再到「人受過屈辱後會變得敏感」，就不僅屬於文字加工，而且涉及自我意識和生命體驗的差異，已經是敍述者的人格涵養問題了。四，最後平添的一個長句，把敍述者對妻子的感激和讚美推向極致，整個段落的意義得以彰顯，境界也隨之提升。

清人有一詩聯曰：「讀書心細絲抽繭，煉句功深石補天。」前一句說讀的功夫，許多人努一努力，興許還可以達到；後一句說寫的功夫，卻只有極少數人才能做到。從上面一段文字的修改來看，王元化稱得上這極少數人中的一位。

《開卷》二〇〇七年第九期

誰先提出「語言流」

在高行健先生獲諾貝爾文學獎不久，劉再復先生撰文談到他對文藝理論的貢獻時說：「他區別於喬伊斯與伍爾芙意識流的『語言流』寫法，乃是重新發現語言的一大創造。」所謂「語言流」，並非劉再復從高行健的創作中總結出來的，而是高行健本人在不同場合多次談到的他自己的一項發明。收入《沒有主義》（天地圖書有限公司二〇〇〇年版）、《文學的理由》（明報出版社二〇〇一年版）的相關演講與對話裏，有具體的論述。其實，在高行健之前，已有人提出「語言流」的概念，並且其內涵也十分相近。這個人就是「九葉派」詩人辛笛先生。

辛笛在香港《開卷》一九八〇年第六期發表過一篇題名《春光永晝話之琳》的文章。文中論及卞之琳詩的體裁和風格，將之分為四類，第四類即稱為「語言流」體。他解釋道：「這名詞也是我杜撰的，取其類似《泥石流》（一部科技記錄影片名）、『意識流』之意，也就是著重在一個『流』字，不過指的是語言中的『流』的節奏。」接下來是兩大段補充說明。

從這些解釋和說明可以看到，辛笛所謂「語言流」與高行健的「語言流」，有許多相通之處，至少表現在如下四個方面：

其一，以西方「意識流」為參照系，探索新的寫作方法，是辛笛與高行健共同的目標。辛笛從卞之琳以及劉半農、聞一多、徐志摩等白話詩人的作品中，發現一種具有「流」的意味的詩體，覺得與「意識流」寫法相合拍，卻又別具一格，便以「語言流」名之。高行健提出「語言流」，也是源於對「意識流」的超越。他認為藉詞語喚起和追蹤瞬息變化的感受過程，得遵循該語言的語法結構所提供的可能，否則語句便不堪卒讀。能實現的無非是「語言流」，「意識流」只潛藏在「語言流」之中。

其二，關注語言表述的流程，自然是「語言流」的首要任務。辛笛認為「流」是一種動態的過程，語言自有一種節奏，正如音樂一般。所謂「語言流」寫法，是指寫作時，思緒和辭意隨詩行的展開，時而雋永，時而飄逸，行雲流水，一「流」到底。高行健也認為，任何語言都得在線性時間流程中實現，如同音樂，這是語言表述的極限，文學寫作不能逾越這線性的流程。他甚至主張捨棄靜態的描寫、解說與分析，用綿延的語言實現的過程，來傳達動態的心理感受。

其三，注重口語化，是「語言流」主要特徵。在辛笛看來，關鍵是符合日常白話的習慣，平易、親切、自然、純熟，而我國的「七言古風」中也有這樣的傳統，可以借鑒。高行健同樣認為，現今人講的口語新鮮活潑，是文學語言一個豐富的源泉。他注意吸收口語和方言中生動的用語，主張使用活生生的語言，即生活中習以為常的說出來聽得見的活語言。並且，為避免套用西方語言的語法，他還希望有人能將古漢語和當今活生生的口語加以對比，歸納出一套符合漢語特性的現代漢語語法。

其四，辛笛所謂「語言流」，並不局限在詩上。他指出，「語言流」和莎士比亞戲劇中常用的獨白或旁白一樣的有味道，「如果它發展成多人的語言流，逐步增加戲劇化和集體性的寫法，就可能成為無韻詩體的詩劇的道路」。儘管這些措辭的理念過於傳統，但還是預示了高行健後來發展的方向。高行健戲劇的獨白與對話使用「語言流」，自然不在話下；他的小說敍述，也使用了獨白式的「語言流」。《給我老爺買魚竿》「通篇是內心獨白」，《靈山》「不過是個長篇獨白，只是人稱不斷變化而已」。這人稱的不斷變化，使作品具有多視角、多聲部，正與「多人的語言流」相似。

毋須諱言，辛笛只是提出了問題，高行健有更深入的思考和成功的創作實踐。所以，他這方面的成就和影響超過了辛笛。但從「語言流」概念形成的時間上看，辛在前，高在後，是不容置疑的。可惜的是，辛笛未能將自己「杜撰」的「語言流」發揚光大，將現代漢語寫作提升到新的境界，為中國文學走向世界做出貢獻。這很大程度上歸咎於環境等外在的因素，是個人無法左右的。對於一個有著先知先覺的作家，還有什麼比這更令人遺憾的呢？！

《文學自由談》二〇〇五年第三期

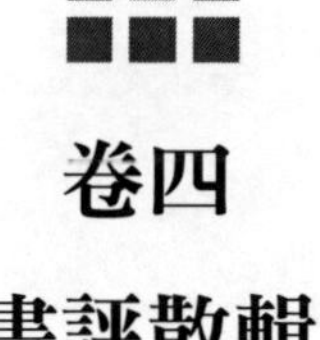

卷四

書評散輯

異想天開

宇宙從何而來？它為什麼，又是怎樣開始的？它會有末日嗎？如果有的話，會發生什麼？在許多人看來，只有孩子才會問這樣的問題。儘管我們知道，屈原早就有過「天問」，可我們更常常聽到如此諄諄的忠告：不要「杞人憂天」了。於是我們瞻前顧後，斤斤計較於一己得失，忙忙碌碌於關係之學。此時此刻，讀到《宇宙的起源》和《宇宙的最後三分鐘》這樣的書，真不知身在何處。

有一些人，他們並不關心眼前道路上的坑坑窪窪，而窮其一生的精力，仰望不著邊際的星空。他們觀察、計算、猜想，互相爭論得面紅耳赤，為我們描述出宇宙從肇始到終結的全過程。目前基本上一致的看法是：我們的宇宙原來只是一個相當於零的「奇點」，由於一百五十億年前的「大爆炸」，誕生出時間、空間以及物質。「大爆炸」使宇宙膨脹。地球、太陽系乃至銀河系，如果不出意外的話，最終將脹出現在的「母宇宙」，進入未知的「嬰宇宙」。或者，由於爆炸力的衰竭，萬有引力使所有星球向一個點坍塌，宇宙又會回到它的原初狀態，一個零。

科學離不開長期累積的觀測、一絲不苟的實驗，但科學更離不開天才的想像。一種猜測，一種推想，往往領先一步，成為科學發展的預兆。從地心理論到日心理論，再到大爆炸理論，我們可以看到，「正是理論才決定人們能夠觀察到什麼」（愛因斯坦語）。科學，就是有如此不可思議的異想天開的魅力。

誠然，現代宇宙學為我們描繪的前景是令人沮喪的。地球即使逃過種種意外，也終將毀滅；人類即使能逃離地球，也難逃宇宙的終結。但有一點不該忽視，我們是宇宙膨脹到九十億光年才可能產生的「有生命的觀察者」。宇宙是有始有終的，宇宙自己不知道，星球也不知道，可微小得簡直無法與它們相比的人卻能清楚地知道這一切。人對宇宙無能為力，但可以想像宇宙，憑著他有限的觀察和無限的智慧。

人類創造的一切偉大的物質形式，對於宇宙來說，都是微不足道的，只有想像力能超越時空，洞悉宇宙的奧秘。真正讓人擔憂的不是宇宙的末日，而是想像力的衰退。想像力的衰退就是精神的萎縮、生命的退化。不幸的是，在意識形態的諸多領域，在日常生活的方方面面，人的想像力已日顯式微。阻止想像力的「坍縮」，使之重新「膨脹」起來，我們才無愧於「宇宙精華、萬物靈長」的自許。

（《宇宙的起源》，〔英〕約翰・D・巴羅／著，卞毓麟／譯；《宇宙的最後三分鐘》，〔澳〕保爾・大衛斯／著，傅承啟／譯，上海科技出版社一九九五版）

《讀書》一九九七年第二期

記憶的輕重

關於《老照片》的評介已見過不少，只是最近，偶爾讀到一份名為《回憶》（Reminisce）的英文雜誌之後，重溫幾冊《老照片》，一些原先較為模糊的異樣感覺才清晰起來。

那是一種大十六開的月刊，彩頁與黑白頁相間，刊登的都是配上文字的照片和配上照片的文字。似乎沒有跡象表明《老照片》的創意受其影響，可從憑藉照片追憶往事這一點看，兩者如此相似，不能不讓人有所聯想。

當然，兩者的差異也十分明顯，不僅在外觀上，更在內容上。《老照片》中的人、物、場景大多籠罩著時代的陰影，像夾在留發與留頭兩難間的順民，低頭認罪的地富反壞右，化妝得稚氣全失的小孩在演樣板戲，以及怵目驚心的凌遲場面等等。《回憶》中的影像則大多充滿生活的情趣，像幽暗的雨景中，撐著鮮亮黃傘的小女孩，驚喜地仰面張望傘頂的濺水聲；笑容可掬、體形富態的老闆娘，一手按著櫃檯，櫃檯與貨架上琳琅滿目，下面一段文字中寫道：「我的祖母常常在店裏睡著了，醒來後常能看到顧客留在櫃檯上的錢。」

《老照片》是出版社編輯大型歷史圖集的「下腳料」，儘管編者著眼私人化敍述，卻仍然以為：一張照片、一段往事，說的是一個人或一個家庭的經歷，不經意間還是折射出一個民族、一個國家的歷史。而自照像術引進以來近百年的中國歷史，又是一段多災多難的歷史。這也就難怪那些老照片上滿是沉重的滄桑感，讓人心情壓抑。《回憶》在其本國屬於什麼層次的讀物，我不太清楚。封面刊名下有一行點明雜誌性質的小字，大意是「一份帶回美好時光的期刊」，足見編者的意圖。翻閱這份雜誌，輕鬆快樂略帶幽默的選材，常能讓人會心一笑。

《老照片》中的照片自有其價值和意義，比較而言，《回憶》中的圖文似乎沒什麼深刻的內涵。然而，我想起《論語》裏的一則故事：孔子聽了幾位門生訴說安邦治國的大志，只是「曬之」；當曾點說他的理想是「莫春者，春服既成，冠者五六人，童子六七人，浴乎沂，風乎舞雩，詠而歸」，孔子立刻給予讚許，並說「吾與點也」。「積極入世」的孔子為什麼把「消極出世」的追求當作最高的理想呢？問題很簡單，人類之所以去承受苦難，去艱苦奮鬥，還不是為了能享受和平、幸福的生活？就個體生命來看，當你老了，獨自回首往事的時候，取出那冊記錄一生足跡的影集，你願意這些老照片上都是些戰爭、運動、災荒以及生活無所著落的憂慮，還是充滿了陽光、鮮花和發自內心的歡笑？

如此看來，《老照片》僅是百年歷史的一個見證、一個提醒。在這裏，苦澀多於甜蜜，蒼涼多於溫馨。我們還未能輕輕鬆鬆地回首「過去的好時光」。

（《老照片》一、二、三輯合訂本，山東畫報出版社一九九七年版）

《讀書》一九九八年第四期

兩性共識的訴求

劉劍梅女士的《狂歡的女神》一書，無疑是一部女性主義的著作。一位女性學者，站在女性的立場，揭示女性藝術家（包括女作家、女畫家、女導演）的生存和創作的困境，展現她們的慾望與想像、挫折與成就，禮贊她們的生命力和藝術天才，對男性霸權作強烈地批判。這一批評的套路，是不言而喻的。然而，劉劍梅並沒有像有些激進的女性主義者那樣，情緒化地宣揚兩性間的對抗，而是傾向於消解男女性別的等級觀念，追求兩性間平等、和諧與心靈對話的關係。

理解到這一層，也就明白了為什麼書中一再提到對性別意識的超越。女性的困境，也是人類的困境；女性身體的痛苦，也是生命本質和苦難。正是在這個意義上，劉劍梅分析西維亞・普拉斯之死時，沒有像許多傳記那樣，一味譴責她的丈夫特德・休斯，而是將她神經質的一面，歸結於複雜的、多重的「自我」。某些女性主義者批評電影《鋼琴課》結尾，認為女主角最後選擇新的家庭生活，是對男權社會的妥協，而不是反抗。對此，劉劍梅也不以為然。她的解釋是，導演簡・坎皮恩關心的並不是簡單的性別政治，而是兩性間的溝通甚至妥協的情感。而這一妥協的姿態，使男性與女性之間戰爭變成一種協調式的平和。

事實上，女性主義者發動的這場戰爭，如果只有女性參加，沒有男性配合，肯定只是一場沒有結果的戰爭。而得不到男性社會的承認，無法影響人類的另一半，女性就不可能獲得徹底的解放。女性立場的介入，旨在甄別和剔除隱含的男性霸權意識，反思歷史，改造文化，矯正價值觀念，改善社會生活，建立更加健康、寬容、和諧的兩性關係。不能將對男性霸權的批判推向另一個極端，去張揚一種偏頗的女性霸權。女性不僅僅是為了自由，更重要的是為了幸福而奮鬥。女性解放運動本身不是目的，而是獲得幸福的必要手段。只有男女雙方相互尊重、相互合作、相互交流，人類才能發展真正的自我，創造真正的自由和幸福。

令人欣慰的是，在《狂歡的女神》一書中，可以體察到這一女性主義的新思路：從女性意識的彰顯轉向兩性共識的訴求。不僅如此，透過介紹所謂「男性的女性主義者」，劉劍梅還讓我們感受到當今女性主義理論正在突破性別的界限，傳統的男女二元對立的格局已經開始鬆動。

美國馬里蘭大學比較文學教授約翰‧斐濟，與人合拍了一組系列記錄片《擁有力量的女性》。現已完成的四集，分別講述了四個不同凡響的女性。這與劉劍梅本人寫那群「狂歡的女神」，頗為相似。可約翰‧斐濟是一位男性，竟然選擇了女性主義的立場和角度，去揭示女性被遮蔽的真相，就不能不讓人刮目相看了。第一集《紅色的露絲：那種絕望的渴求》，講的是布萊希特的情人露絲‧貝勞的故事。影片以大量充分的史料，讓女主角從「偉大的男人」的陰影中走出。而在一部名為《告別：布萊希特最後的夏天》的電影中，露絲只是一個爭風吃醋、歇斯底里、不可理喻的女性。相比之下，《紅色的露絲》真實而細膩地勾勒了她的智慧和才情、勇敢和果斷、以及受到的不公正的待遇，呈現於觀眾面前的是一位敢做敢為、富有創造力的獨立女性。劉劍梅寫道：「許多布萊希特的學者最多只會承認，布萊希特從他身邊的這些女人身上得到了創作靈感，無法像約翰一樣，從這些女性的角度思考問題，肯定她們獨立的創作才能，確認她們在歷史中應得的位置，為她們的不平吶喊。」

女性主義的意識和理念，不僅在約翰這樣開放的學院派男性身上產生了作用，也影響到丹・布朗這樣的男性暢銷書作家。劉劍梅指出，丹・布朗的《達・芬奇密碼》不僅是一部懸疑小說，也是一部「非常女性主義」的作品。其中對《最後的晚餐》及「聖杯」的解碼，揭示了男權中心的基督教傳統中女神缺席的事實，暴露了教會對女性的恐懼和壓制心理，重新肯定了女性在宗教中的地位。這正是這部暢銷書驚世駭俗的地方。

實現女性解放的終結目標，一方面需要女性自身的努力，另一方面也需要男性的參與和合作。男性與女性雙方的協商與互動，能夠使兩性意識都得以刷新。理想的兩性關係的確立，似乎為期不遠。可讀到書中的另一段話，又讓人覺得前景不容樂觀。評析凱特・蕭邦的女性主義小說《覺醒》時，劉劍梅說：「當我與馬里蘭大學的一些男性教授談起《覺醒》時，他們都承認這是一本好小說，但卻不希望自己的太太讀到這本小說。」原來，兩性間真正的平等，只是存在於學理的層面，存在於藝術作品裏；落實到實踐和日常生活中，尚有漫長而艱難的歷程。

（《狂歡的女神》，劉劍梅／著，三聯書店二〇〇七年版）

《讀書》二〇〇七年第十二期

技術時代何以詩意地棲居

「詩意地棲居」，這一出自荷爾德林的詩句，經過海德格爾的闡釋，廣為人知。特別是在當今中國，無論是學術界還是日常生活中，這一短語頻頻被引用。儘管各人的理解不盡相同，但這句話體現的人生理想，與中國傳統的人生態度極為相似，用東方思維解讀西方理念的情況普遍存在。而將「詩意地棲居」看作人類永恆的嚮往，脫離了現代西方文化危機的語境，海德格爾尋求拯救的縝密之思，也似乎成了一種超時空的想像遊戲。只有回到問題發生的情境，回到海德格爾的文本，「詩意地棲居」的深刻意蘊才能得以敞開。

《睿思與歧誤：一種對海德格爾技術之思的審美解讀》一書，聚焦於技術之思，在技術時代的背景下領悟海德格爾。書中寫道：「批判技術時代的海德格爾想追尋的是一種源始的倫理——技術關聯中人在大地上的詩意棲居。」的確，在海德格爾那裏，所有問題都是相互關聯的。只有借助對存在、藝術和詩的思考，才能深入地思考技術；而思考技術，始終是思考存在、藝術和詩的潛在背景以顯在參照。

海德格爾的技術之思，是透過對技術源始內涵的追問，把握它的形而上根基。與流行的見解不同，海德格爾的著眼點，不在於當下的技術現象，也不在於所謂技術異化的批判。在他看來，危險的不是技術的使用，而是技術的本質。技術的本質是「揭蔽」，技術不是科學的應用，相反，現代科學卻是技術揭蔽的必然產物。然而，在技術時代，我們不得不依賴種種技術，而又不知不覺地嵌入技術，以致於為技術所奴役。與其說是人在操縱技術，不如說是人被技術所控制。當下存在的東西，無不被技術本質的統治打上烙印。這種統治，透過諸如自動化、資訊化、功能化、體制化、官僚化等等，在社會生活各個領域中呈現出來。技術的本質使世界井然有序，而恰恰是這種井然有序，把人和秩序都拉平為千篇一律。海德格爾追問道：「在技術化的千篇一律的世界文明的時代中，是否和如何還能有家園？」

海德格爾沒有停留在對技術現象作一般性的價值判斷，而是以「思」的強力穿過膚淺的流行觀念，深入到技術的本真層面。他認為，技術是不可迴避的，也是不可缺少的。盲目抵制技術是愚蠢的，將它詛咒為魔鬼是缺少遠見的。問題的關鍵在於，如何去思技術。可怕的，不是世界變成徹頭徹尾的技術世界；真正可怕的，是我們對這場世界變化毫無思想準備。技術時代的來臨到底意味著什麼？我們顯然未曾入思。所以他說，世上並無技術惡魔，只有對技術何為或何謂技術的不思。如果技術時代的人，不思技術揭蔽中發生的事情本身，那麼技術就真的變得十分危險。技術革命可能會令人歡欣鼓舞，但有朝一日，只剩下唯一的計算性思維，人也就失去了他能思的本質，失去了對付技術的基礎。在這種情況下，處處呈現出太平生活的假像。對人而言，思考和克服技術的最後機會喪失了。從人類歷史性命運的視角來思技術，海德格爾指出，只有思，才能對技術時代發生的東西進行追問，才能把現代技術收攝到它得以可能的境域中。

海德格爾說：「我們讓技術的東西進入我們的日常世界，同時又讓它出去，即讓它們作為物而棲息於自身之中。」這不是拋棄技術，而是對我們與技術的關係的一種修正。我們不是被這些技術的東西所束縛，而是能夠與它保持一定距離，從而建立一種新的人與技術的自由關係。我們可以利用技術的東西，卻在同時保留自身的獨立。面對技術世界，我們可以說「是」，也可以說「不」。有了這種「泰然任之」的態度，人才能夠從技術中被拯救出來，既可以技術地棲居在家中，也可以詩意地棲居在家園中。

關於技術與自然的關係以及如何遏制技術的思考，為二十世紀眾多思想家殫精竭慮。現實中科學技術的祛魅化，幾乎達到對自然的完全控制。社會生活也成為技術性的，即官僚機構越來越以技術手段或管理方式操縱經濟、政治和文化生活。整個社會都變成一部高速運轉的技術機器，人只能成為其中的螺絲釘。當世界只剩下純粹的技術關係，人便在這個技術世界中迷失了。與我們在生活中相互遭遇的，僅僅是技術的東西。我們有高樓大廈，有豪華裝修和高雅舒適的裝飾，卻沒有居家的詩意。因此，海德格爾主張，讓技術回到自然的境域，在「用」自然的同時，使自然達到真正的自然而然。讓物作為物存在，讓世界自身呈現，讓存在合乎時機地自然而然地湧現。進而言之，就是讓人詩意地棲居在大地上，也即詩意地棲居在家園中。海德格爾的詩之思，在這裏與他的技術之思遙相呼應。

在本書作者看來，海德格爾的技術之思遠遠超越當下形形色色的現代性批判，因而稱之為「睿思」。但正如書名所示，作者又指出，海德格爾思想中也有「歧誤」。這便涉及到怎樣才能真正做到「詩意地棲居」的問題。

按海德格爾的觀點，現代技術不是拯救人類，而是透過寄希望於技術的無所不能，拋棄神性，把人置於價值和信仰的真空地帶。洞悉現代技術的本質，採納神性的尺度作詩，並以詩意涵攝當下實踐中各式各樣的築造活動，我們才能詩意地棲居在大地上。這裏的神性，並非來自人格神的上帝，而是所謂「存在的命運」。存在作為存在自身存在，又是一種時間性存在。這是存在以自身的發送，迎接當前時間性的到來。我們只有傾聽、應和於「存在的命運」的時機，領悟到「命運」的機緣，才會獲得自己的本質，成為我們所謂的存在者。海德格爾還認為，正是「存在的命運」，將天、地、神、人聚為一個四方關聯體，相互佔有又相互依存，在一體化的鏡像遊戲中各成其事。離開人的仰望，隱匿天空中的神不能顯現；而離開作為尺度的神，人不能生存在天空與大地之間。人之所以能棲居在家園中，是因為他守護著天、地、神、人的四元聚集。所以，海德格爾一方面主張「對物的泰然任之」，一方面又主張「對神秘的虛懷敞開」。

由此可見，海德格爾克服技術中心主義的命運之思，並沒有完全拋棄西方文明中的神學傳統，轉向東方思想來尋求走出困境的出路。所謂「詩意地棲居」，與中國傳統思想中的「天人合一」的顯然不同。必須仰望天空，在神性顯現的天空中，而非在大地上尋求尺度，人才能同大地萬物共在。只有獲得神性的尺度，人才能詩意地棲居在大地上。「存在的命運」自然而然地湧現，既避免落入西方宗教中的上帝實存，也避免落入天人合一的人倫實體之窠臼。而對神性的嚮往和跨越，又使「詩意地棲居」中蓄積著一股動勢力量，這也有別於東方天人合一的靜觀。

正是由「詩意地棲居」的神性維度切入，本書作者展開對海德格爾思想的質疑。「命運」的未可宰製，使「詩意地棲居」變得模稜兩可和難以把握。作為回歸內心以求無待的內在價值向度，「境界」與「命運」相對，構成人的又一個終極關懷。「命運」是一種他在的緣由，窺探這神秘的緣由，必從人的心靈向外趨求；「境界」則意味著反躬自問，意味著人向自身尋找人生的理據，意味著人的生命的理由在於人自己。以此為立論依據，本書作者認為：「海德格爾向希臘源頭處存在經驗的『回返』，有著對希臘早先的外向度『命運』的屬意，而缺失對人生內向度『境界』的祈向，這使其存在之思在價值意味上顯得彷徨猶疑，而喪失本有的人文關懷，儘管他超越人本主義又寄望綻出之此～在為存在打開一道視域，但終究還是小覷了人的心靈對『至善』價值的祈向。」

在希臘思想中，是蘇格拉底首先體悟到人生當有「境界」，並把它標示出來，取代此前人們對「命運」的執著叩問。蘇格拉底哲學的全部意義是對善的自覺，內向度的至善境界，是萬物的尺度。在科技高視闊步、人文價值失落的背景下，海德格爾企圖回到前蘇格拉底時代，提醒對「存在的命運」的關切，而另一人文向度，即對至善境界的關切，始終未被他認可。或許，在他心目中，「命運」作為自然的主宰，籠罩著存在敞開的所有境域，其格位高於人之內心的至善境界。而在本書作者看來，這正是海德格爾思想歧誤之所在。期盼外在的未可宰製的「存在的命運」，而不返求內向度的「境界」，凸顯了一種他律性，著實令人擔憂。因為面對「命運」的他律，在實體化極權的統攝下，貧困無力的人類意志，若不是走向絕望，就是淪為犬儒。本書作者進一步指出，海德格爾的存在之思，未能踏入「境界」的界域，反而再度加深了人們對精神內在價值維度的遺忘與遮蔽，即所謂蔽於「存在」而不知「人」，無法真正安頓技術時代現代人的靈魂。

海德格爾思想裏確實沒有「境界」的位置，可這是他疏忽失誤，還是存心超越？回歸了心靈對至善境界的祈向，人是否就能夠克服技術時代的危機？心存「境界」的人，又如何進入「詩意地棲居」？這些又都懸而未決。也許至關緊要的，不是急於給出答案，而是回到問題本身，和海德格爾一起運思。

（《睿思與歧誤：一種對海德格爾技術之思的審美解讀》，范玉剛／著，中央編譯出版社二〇〇五年版）

《中國圖書評論》二〇〇六年第十一期

文學個案中的中日關係

無論在中國現代文學領域，還是在比較文學領域，中日現代文學關係的研究，很大程度上都只是單向的。研究主要涉及那些留學日本的中國作家，以及日本文學對中國作家創作的影響。日本文學界對中國現代作家、作品的關注和反應，幾乎未被介紹過來，更不用說做深入的研究了。「三聯・哈佛燕京學術叢書」新出的《「國民作家」的立場：中日現代文學關係研究》，無疑是這方面具有開創性的力作。

這部書最吸引讀者的看點，是其中大量引證的日方資料，不少都是由作者第一次從日文譯成中文。例如，日本人對《留東外史》的不同看法，佐藤春夫以郭沫若為原型的「電影故事」《亞細亞之子》，太宰治以魯迅與藤野為素材的長篇小說《惜別》，等等。這不僅為我們展現了一些相對陌生的研究對象，也為我們審視中日現代文學關係提供了新的視角。

這本書最重要的觀點，在於創立並使用「國民作家」這一概念。梁啟超曾說「欲新一國之民，不可不先新一國之小說」，陳獨秀也主張「建設平易的抒情的國民文學」，均顯示出文學與國民意識的聯繫。作者進一步指出，現代文學的發生與民族國家意識的覺醒是同步的，在某種意義上，現代文學即為「國民文學」。現代作家作為「國民」展開書寫活動，也即可以稱為「國民作家」。這一方面，中日的情形大致相同。關鍵的區別在於，由於近代以來國家存在方式的巨大差異，日本人作為「國民」與中國人作為「國民」，既相互對立，又相互交融。中日現代文學關係，由此變得錯綜複雜。作者以「國民作家」為內在線索，擇取了五個跨中日文學的作品或事件，進行了細緻的個案分析，涉及個人情感、文化觀念、民族精神和國家意識形態諸多層面，深刻而廣泛地呈現了中日之間千絲萬縷的交織狀態。

武者小路實篤和佐藤春夫，都對中國現代文學產生過直接的影響。但後來，特別是中日戰爭爆發後，這兩位日本作家與中國的關係又是如何呢？以往的研究，忽略了這樣的問題。本書作者卻由此發掘出一些不應迴避的事實。武者小路實篤的反戰劇本《一個青年的夢》，經周作人和魯迅的介紹和翻譯，五四之後頗為流行，甚至出現了孫俍工的《續一個青年的夢》。而武者小路本人卻在四十年代創作出讚美戰爭的劇本《三笑》（本書前言中誤作《妹妹》），引起巴金等人的抗議。

郁達夫曾說，在日本現代作家中，最崇拜的是佐藤春夫。可在一九三八年，他寫了《日本的娼婦與文士》一文，痛斥佐藤及其《亞細亞之子》。本書作者全文翻譯了這篇「電影故事」作為附錄收入，使我們得以了解事件的原委。故事以郭沫若為原型，虛構他受中國政府派遣的間諜郁達夫的策動，回國參加抗戰，不久發現被騙，便毅然前往日本佔領的北中國，以日本意識形態為指導，設立醫院，為百姓服務。他的妻子和兒女也來到中國，為大東亞共榮的理想而工作。所謂「亞細亞之子」，即指中日混血兒。佐藤從日本的國家利益出發，犧牲了個人友誼，對兩位中國作家進行了詆毀性的描寫。他借助於「中國價值」向「日本價值」的轉換，來確立「亞洲價值」。他的「亞細亞」理念，本質上不過是「大日本」的代名詞。身為被侵略的中國的「國民」，當然不可能認同他的這種「殖民文學」。

如果說郁達夫與佐藤春夫的決裂，是被侵略者與侵略者個人國民意識的衝突，那麼，片岡鐵兵對周作人的「掃蕩」，則體現了日本軍國主義意識形態與中國文化正統性的對立。周作人出任偽職後，多次在文章和演講中宣揚儒家文化中心論。他甚至說：「所謂中心思想，就是大東亞主義的思想。再進一步去研究，大東亞主義的思想的出發點，還是在儒家的思想之內。」這固然有「精神勝利法」的味道，卻與他由世界主義修改為亞洲主義、最後回到民族主義的轉向相吻合。周作人與片岡正面交鋒的背景，遠比中國現代文學研究者已經論及的更為複雜。

在中日進入敵對狀態之後，兩國國民的民族意識各自具有不同甚至相反的指向，決定著中日兩國文學關係的特質。二十世紀初期，圍繞著《一個青年的夢》展開的武者小路實篤與周作人、魯迅、陳獨秀、蔡元培的等中國知識分子的交流，體現了中日兩國知識階層建立共同價值觀的努力。但隨著日本的擴張、日本作家的「國民化」，這種共同追求失去前提。社會主流話語的演進，呈現為人類主義、亞洲主義消而民族主義漲的過程。就中國作家一方而言，周作人是完整體現這一過程的符號。武者小路實篤和佐藤春夫等人，也努力將中國和日本整合在「東亞」的框架之中，但日本軍國主義的擴張沒有給這種整合提供現實基礎。在更多的情形下，中日作家都是作為「國民作家」發出聲音，而難以作為「人類的」（或「東亞的」）知識分子確立自我。

引證豐富的史料，呈現中日現代文學錯綜複雜的交織狀態，是本書的最大特色。同時，本書也為我們提供了一個啟示。不僅在中日文學關係研究中，在中日政治、經濟、外交以及民間交往中，充分了解民族主義立場的不同背景，突破中日友好和中日對抗的兩極思維，直面事實本身的複雜性，相互理解才有可能，中日關係正常化也才有可能。

（《「國民作家」的立場：中日現代文學關係研究》，董炳月／著，三聯書店二〇〇六年版）

《文匯讀書週報》二〇〇六年六月十六日

法學視野中的制度悲劇

《法律與文學》是一部法學理論著作。正如作者所言，本書不是運用傳統的文學材料來印證法律的歷史，也不是運用這些材料來注釋或宣傳當代的法律，而是力求在文學文本建構的具體語境中考察一般意義的法律理論問題。然而，作為一門跨學科研究，本書的價值和啟示，就不僅限於法學，也在於文學，更在於文化研究的領域。

作為文學研究延伸的文化研究，實際上包含兩個方面：一是把文學文本當作文化現象來分析，二是把文化現象當作文學文本來分析。本書以中國傳統戲劇為材料，分析其中法律的或與法律相關的一些理論問題，應屬於第一種方式。所謂文化，通常又分為三個層面：精神的，物質的，以及介於兩者之間的制度的。法學研究所關注的，正是制度性問題。本書從制度的視角分析中國傳統戲劇，無疑給文化研究提供了一條制度主義進路。

傳統戲劇中隱含的制度資訊，諸如復仇制度、婚姻制度、司法制度乃至政法制度的資訊，構成本書討論的一系列核心命題。例如梁祝故事，看上去似乎與法律無關，卻也在法理學的透視下，引發出對婚姻制度的深刻思考。對後人的改編和今人的闡釋，本書作者採取了現象學的「懸置」。回到原始文本之中，作者發現，梁祝的言行始終都沒有反抗父母之命、媒妁之言的婚姻制度。相反，他們是肯定這種制度，並希望經過這種「程式正義」的認可，從沒有打算挑戰這種制度。作者進而探討了梁祝的年齡和包辦婚姻產生的社會經濟條件，分析了包辦婚姻制度的歷史合理性，同時也分析了梁祝個人願望的合理性。作者認為，梁祝的悲劇在於法理學上的一個永恆的矛盾，即制度作為規則與現實世界中特殊問題之間的矛盾，也即歷史變遷中的行動者面對制度問題的無解的困惑。這裏所體現的，正是恩格斯所謂「歷史的必然要求和這個要求的實際上不可能實現之間的悲劇性衝突」。

在法學的語境中，比較文學界有關中國到底有沒有悲劇的爭論，似乎過於拘泥形式。大團圓的結局，未必沖淡悲劇的意味。本書指出，《竇娥冤》第四折並不如通常所言，是拖遝或多餘的，恰恰相反，這是從另一個角度重申了竇娥的悲劇性以及這一悲劇的必然性。在作者看來，這是一個典型的審判制度的悲劇。其根源並非官吏的貪污枉法或昏庸無能，也不完全取決於奸人作惡，而在於司法制度本身的局限。當案件中一系列證據都不利於竇娥時，又沒有相關的科學技術和專業技術，審判者透過並且依據什麼才能獲得正確的判斷？選擇竇娥父親，而不是包拯之類的清官來平反冤案，事實上傳達了這樣的資訊：如果不是親生父親，任何官員都無法憑現有的人證物證相信竇娥是無辜的。竇娥發下三樁感天動地的誓願，希望借助不可能發生的現象向整個社會證明自己無罪。這也表明，在當時的司法制度下，沒有任何其他辦法使人相信竇娥的敍述，只有超自然證據才能證明她的冤屈。竇娥的形象，實在超越了被侮辱被迫害的定位。當她只能呼喚超自然證據、憑藉鬼魂來申訴時，我們看到的，是對人類探求或重構事實真相的能力之局限以及由此帶來的悲劇性命運的思考。

從法理學的角度看，中國傳統戲劇的一些篇目，可以視為制度的悲劇。而透過對某些戲劇歷史語境的重建，又可以看出法律制度和法律觀念中存在的問題。梁祝悲劇的啟示在於，激情與制度的衝突，使人們看到制度的不合理之處。沒有這類悲劇，制度就沒有變遷的可能。新的制度無法事先安排與設計，它只能是感性經驗突破規範的產物。竇娥悲劇的啟示則在於，缺失審判的知識和技術，司法公正便不能得到保證。這又牽扯到一個司法專職的問題。古代的審判者，主要為地方的行政長官，既是警方又是檢方，既是法官又是陪審團，他們不可能在某一方面術有專攻。而在裁判的過程中，出於政治角色和利益的考慮，追求政績，無形中又會干擾審判公正地運作。一個與行政分離的獨立司法機構，以及其他與之相配套的機構制度，才能有效地減少冤案的發生。

透過對《竇娥冤》以及《灰闌記》、《十五貫》等幾部清官戲的分析，本書還深入探討了傳統司法制度中的人治模式和德治導向。作者指出，在傳統體制中，由於財力、人力、資源和資訊的限制，使得國家無法以有效的法律來治理，道德便成為當時主導的政治法律意識形態，形成了德主刑輔的政法制度。中國民眾的清官情結也因此主要集中在執法上，而不在司法判斷上。中國傳統社會關注司法者的道德性，不像西方法理學關注法律或司法本身的道德性。中國傳統法律文化的基本格局說明，人治和德治不是文化的選擇，而是在特定制約下的被選擇。換句話說，不是文化決定了制度，而是制度選擇了文化。

由此可見，本書的基本進路，不是對法律或制度作文化的闡釋，而是對文化作法律或制度的闡釋。作者一再強調，應關注制度，而不應過多地追究個人的動機和道德。這不僅是出於學術策略的考慮，也表明作者對中國社會普遍注重實質正義而缺乏程式正義的擔憂。當事實明確無誤時，道德評價也許必要；在事實還不清楚時，匆忙的道德評價往往會湮滅對事實的探討，並有可能帶來更多的悲劇。這一點，對於中國當今文化研究中的道德主義進路，無疑是一種提醒。

（《法律與文學：以中國戲劇為材料》，蘇力／著，三聯書店二〇〇六年版）

《文匯讀書週報》二〇〇六年十一月十七日

異同比較中的意識形態

張隆溪先生最近出了本新書《同工異曲》，書名顯然是將成語「異曲同工」顛倒了一下。這樣的改動，不會沒有緣由。說是出於音韻的考慮，恐怕不通。那只能是為了突出某種意義，具體說，是在「異」與「同」之間強調「同」的成分。略知作者近年學術思路者會明白，如此推斷，並非空穴來風。

幾年前，張隆溪在文集《走出文化的封閉圈》中，就旗幟鮮明地亮出自己的觀點。所謂「文化的封閉圈」，主要表現為強調文化的獨特性和文化間的差異。他主張以開放的立場和心態，超越東西文化的對立，反對文化間的隔離。《同工異曲》一書，正是這一核心理念的延續。書中綱領性的第一章，標題即為「文化對立批判」。

張隆溪指出，強調文化的差異，是非常有吸引力的。非此即彼的對稱，優劣高下的概括，既節省了腦力，也很容易針對一個異己的他者來確立自我。西方學者由此虛構一個「非我的神話」，東方學者也由此完成「自身的東方化」。在西方，無論是德里達、福柯，還是弗朗索瓦・于連，中國總是代表著所謂「文化間的相異性」，成為反襯西方的文化上的他者。在中國，無論是陳獨秀、李大釗，還是杜亞泉、梁漱溟，都把中國視為西方文化的對立面，儘管有的將它視為必須拋棄的沉重包袱，有的將它視為復興民族精神價值的資源。中西學者的動機和結論各不相同，在強調東西方的對立這一點上，卻表現出驚人的一致。

文化的差異性是客觀存在的。不僅在不同文化之間存在差異，在同一文化內部也有各種差異。在中國，儒家異於道家，唐詩異於宋詩；在西方，天主教異於新教，拉辛異於莎士比亞。人們為什麼要強調不同文化的差異，而不是強調同一文化內部的差異？這種跨文化的策略，會帶來怎樣的後果？這正是張隆溪所擔憂的。所以，本書的開篇引用了博爾赫斯的一段話：「我們總愛過分強調我們之間那些微不足道的差別，我們的仇恨，那真是大錯特錯。如果人類想要得救，我們就必須著眼於我們的相通之處，我們和其他一切人的接觸點；我們必須盡可能地避免強化差異。」

在張隆溪看來，跨文化閱讀就是跨越東西方文化差異來閱讀文學，把差異性放在適當的位置上，在很不相同的文學和文化傳統中，鑒賞思想和表達方式出奇的共同性，揭示人類在想像和創造當中的契合。跨文化閱讀的要點在於，獲得全球性的視野，理解人類的創造力量。只有從這樣一個廣闊的視野看出去，我們才能發現不同語言和文化傳統中的文學作品存在深層的聯繫。像弗萊那樣「後退幾步」，像維特根斯坦那樣「爬上梯子」，我們才能成為更高明的讀者。如果只是把自己封閉在單一文化認同的狹隘心胸裏，局限在自己圈子的偏頗的眼光裏，就根本達不到那樣一種境界。從這個意義上講，跨文化閱讀，需要並培養了一種開闊的視野和胸襟。

在比較研究中，強調差異性還是強調共同性，似乎沒有什麼必然。但在跨文化的特定語境中，求異還是求同，必須慎重抉擇。因為跨文化研究中的異同比較，不只是方法論的問題，更是世界觀的問題。在不同文化間強調差異性，是異中求異；在不同文化間強調共同性，是異中求同。異中求異，是文化相對主義的路數，衍生為種族中心主義或狹隘的民族主義，可能導致文化間的對立乃至對抗；異中求同，是文化普遍主義的路數，衍生為世界主義或國際主義，在文化間求同存異，而不至於黨同伐異。《同工異曲》一書的啟示，正是在此。

（《同工異曲：跨文化閱讀的啟示》，張隆溪／著，江蘇教育出版社二〇〇六年版）

《文匯讀書週報》二〇〇七年七月十三日

保守主義者的宿命

《近代中國的文化危機：清遺老的精神世界》一書所呈現的，是中國近代思想史上一個特殊群體，一群典型的保守主義者。他們的代表人物，有王國維、羅振玉、鄭孝胥。作者以確鑿的史料告訴我們，這群原本思想開明的有識之士，如何在革命的震撼下轉向保守，最終走向毀滅的。

辛亥革命之前，王國維對西方思想的深入程度，羅振玉對農學和教育改革的思考，鄭孝胥對現代法律精神的領悟，都是超前的。他們在激進與保守之間，也有明確的選擇。羅振玉說：「鄙意今方以進取為最要。保存主義，當與進取主義並行，但不可以保存阻進取。」鄭孝胥也說：「所謂守舊者，皆苟且因循之宗旨，其說甚淺，不足窮也。」可辛亥革命之後，這群人來了個一百八十度轉向，都變成了「嚴格意義上」的保守主義者。

造成這種轉變的外在因素，無疑是突如其來的革命。現存的政治和文化秩序，一夜之間被摧毀，令他們倉皇失措。王國維、羅振玉流亡海外，鄭孝胥退隱租界。而革命正是激進的產物、西化的結果，與他們早年的主張有直接的關係。於是，他們開始反思，否定舊我，放棄開放的立場，轉向保守。

面對清末體制的僵化，主張引進西學，改革開放；面對民初時局的失控，主張回歸傳統，恢復秩序。立場逆轉了，角色換位了，不滿現狀、尋求解救之道的理念卻是一致的。也正是這種憂患意識和經世致用的懷抱，使他們自以為佔據道德的制高點，敢於在大勢已去的情形下固執己見，儼然是重任在肩。

轉型之後，他們將理想寄託在傳統制度上。王國維在《殷商制度論》中描繪「東方之道德及政治」的理想境界，認為那就是拯救世界的「經驗之良方、對症之新藥」。鄭孝胥則回到《禮記・大同》，闡發他的「王道」理想，將以孔子為中心的儒學和帝王制視為最高境界，並試圖在所謂「滿洲國」付諸實踐。但是他們推崇的傳統制度價值何在？傳統制度在新的環境下何以仍能適用？實行了傳統制度會有怎樣的後果？都沒有經過認真的探討。總的印象是，他們反對多而主張少，義憤遠多於理智的謀略，醉心於烏托邦工程，卻未能提供可行性方案。

由於強調意圖倫理，他們只問動機，不計後果；為了終極目標，不擇手段。羅振玉一方面收集和出版史料，抵禦西學氾濫，拯救中國文化；另一方面又為謀求忠於清廷的經濟保障，賣掉大量古物書畫，加速了文化的流失。鄭孝胥走得更遠，為實現他的王道理想，不惜借助日本侵略者的軍事力量，與虎謀皮。這些都並非出於一時糊塗，而是保守主義自身局限性使然。因為保守主義追求的是一種不切實際的理想，付之於實踐，必須訴之於現實的力量，訴之於強權，結果自然會出現無法控制的局面，而最終與原先的理想背道而馳。這是清遺老的悲劇，也是所有保守主義者的宿命。

（《近代中國的文化危機：清遺老的精神世界》，周明之／著，山東大學出版社二〇〇九年版）

《文匯讀書週報》二〇〇九年十月十六日

彰顯自由的魅力

蕭紅的傳論，前前後後，國內國外，加起來，大約不下十部。然而，讀來都不盡人意。這不是資料問題，也不是寫作水平的問題，關鍵在於傳記作者與傳主「終隔一層」。要麼概念化，要麼庸俗化，所謂「同情的了解」，難得一見。直到最近，讀到林賢治先生的新作《漂泊者蕭紅》，方有終遇知音的慶幸。

魯迅當年十分看好蕭紅，可惜他去世後，蕭紅就再沒有受到類似的賞識。無論是作為生活伴侶的蕭軍、端木蕻良，還是作為左翼文壇重鎮的胡風、茅盾，對蕭紅都抱有偏見。後來的文學史上，雖然給她留有一席之地，但定位於東北流亡作家、左翼作家，屬於革命文學陣營，常常流露小資情調。這顯然是一個風乾的標本，那個有血有肉的、富有天才和個性的蕭紅，無疑被遮蔽了。

在林賢治看來，蕭紅是漂泊者，同時也是追求者和反抗者。她的一生，都在追求愛和自由。作為女性，她渴望獲得愛，卻遇人不淑，每次都受到身心的重創。她嚮往自由，卻為貧窮和疾病所困，顛沛流離，孤立無援。但她，從來沒有妥協過。她至死仍在反抗，反抗男性霸權，反抗社會不公，反抗文化專制。這種不屈的精神，使她付出生命的代價，也成就了她文學的輝煌。

林賢治認為，獨特的人生經歷和體驗，自然生成了蕭紅的雙重視角，即女性的和窮人的「複眼」。窮人的也可稱為平民的、底層的、弱勢的。其實，在以男性為中心的社會裏，女性的也即弱勢的。卡夫卡說：「弱勢乃是一種光榮，因為弱勢對於任何文學都意味著革命。」蕭紅的文學，如果可以稱為革命文學，其革命性在於，站在弱勢的立場反抗強權，捍衛自由的價值與尊嚴。蕭紅及其作品的生命力，正是源自她的自由意志。家庭的羈絆，世俗的道德，都不能阻礙她。她需要男性的關懷，卻不依附男性。她追求進步，卻不遵命行事。無論是愛情的選擇，還是未來的設計，她都沒有聽從組織的意見，或時代的召喚，而是憑著生命的本能，保持人格的自由。在文學創作上，蕭紅也不拘陳規，實踐著一種自由的詩性書寫。她站在文學潮流之外，不迷信巴爾扎克或契訶夫的寫法。《生死場》、《呼蘭河傳》採用斷裂的、碎片化的、無序的結構，無中心、無主角，甚至無連貫的情節，完全體現出自由寫作的風格。而正是這種風格，使她超越的了現實主義，成為當代女性寫作和先鋒寫作的先驅。

蕭紅一直沒有獲得如此客觀、公正的評價，失誤不在於夏志清所說的「疏忽」，而在於我們本身自由精神的缺失。如果自己不能認識自由的可貴，又怎能珍視別人自由的人格和自由的風格。林賢治之所以能做到這一點，與他一貫的文學理念有關。讀過他的魯迅傳記，以及近年大量的思想隨筆，便會明白。與其說是他揭示了蕭紅人格和風格的魅力，還不如說蕭紅印證了他多年倡導的自由寫作。這就是為什麼，在《漂泊者蕭紅》裏，我們看到傳主煥然一新的形象同時，也隱約可見傳記作者的影子。可以說，這部傳記的光彩，正是來自兩顆自由心靈相遇時的交互輝映。

蕭紅能夠遭遇林賢治，其自由的人格和風格得以彰顯；林賢治能夠發現蕭紅，在魯迅之外又找到一個自由文學的個案。正如評論者所言：「無論對於傳主還是傳記作者，都應該是他們的福氣。」

（《漂泊者蕭紅》，林賢治／著，人民文學出版社二〇〇九年版）

《羊城晚報》二〇〇九年二月二十八日

以業餘為榮

《靠不住的歷史》一書，是謝泳先生到廈門大學後出版的第一部文集。副題「雜書過眼錄二集」，顯然是有意沿襲四年前《雜書過眼錄》的體例。所謂雜書，多為逛舊書攤、翻故紙堆所獲，是一些五花八門的文獻。謝泳先生說：「有趣的歷史研究，應當是在看似不相關的文獻中，發現有用的史料。」這話完全可以用來概括本書的特色，所以被編輯摘錄出來，印在封底上。

這話出自書中第一篇文章，緊接著的文字是：「所以學者讀書不能太專門，專門是職業，不專門才是趣味。專業有硬性要求的，常常很苦；業餘是輕鬆的，所以快樂。業餘的專業是最理想的境界。」

後面還有一篇文章，開頭便寫道：「學術，凡搞成專業都比較苦，因為要靠這個東西吃飯，難免裝模作樣，甚至裝神弄鬼。我比較羨慕業餘的專業，不用靠那個東西吃飯，但又有專業品質，這種感覺很不錯。學術，如果不是發自內心的興趣，其實是一件很苦的事。我自己感覺比較幸福的就是從來不在專業內，以業餘為榮，所以不苦，因為沒有人用專業來要求你，但自己其實是按專業標準來做的，所以一切都發自內心。」

謝泳先生進了廈門大學，已是學院中人，有自己的所謂專業，在新書中仍然一再強調「業餘的專業」，表示「以業餘為榮」，很是耐人尋味。讀過這本新書，自然也能發現，謝泳先生過去以小見大、舉重若輕的風格，並沒有因為角色的轉換而有所改變。或許，有人以為那是慣性使然；熟悉當今學術體制的人，卻能夠體會到這份難得的恪守。

薩義德的《知識分子論》裏，有「專業人士與業餘者」一章。他認為，真正的知識分子不是所謂專業人士，而是業餘者。他贊同賈克比《最後的知識分子》一書的觀點：在美國，非學院的知識分子業已消失，取而代之的是一群怯懦的、滿口術語的大學教授。這些人文筆深奧而又野蠻，主要是為了學術的晉升，而不是促成社會的改變。在薩義德看來，今天對於知識分子致命的威脅，無論在西方還是在東方，都不是來自市場或傳媒，而是來自「專業態度」。陷入專門化，就會變得怠惰、溫馴，只知道照別人的吩咐行事。因為要成為專家，就得有適當的權威證明其合格。這些權威指導你說正確的語言，按照正確的格式，局限於正確的領域。專業的態度，使追隨者無可避免地傾向權威，傾向權力的要求，傾向被權力直接雇用，從而得到資助、獎勵以及職業的晉升，最終喪失獨立分析和判斷的精神。為此，薩義德主張，以「業餘性」來抵抗知識分子的墮落。

薩義德說的業餘性，就是不為利益或獎賞所動，只是為了喜愛和興趣。這種喜愛和興趣，跨越專業的界限，拒絕被專長和行業所束縛，甚至針對最具技術性、專門化的行為提出道德的議題。身為業餘者的知識分子，不再做被認為該做的事，而是要問為什麼做這件事。業餘性還意味著選擇公共空間，而不是由專業人士控制的內行人的空間。薩義德明知故問道：知識分子是作為專業性的懇求者，還是作為不受獎賞的、業餘的良心？

對專業化弊端的認識、對業餘性內涵的理解，謝泳先生與薩義德不盡相同；但對專業化的警覺、對業餘性的訴求，兩人是一致的。謝泳先生是做中國現代知識分子研究的，自身也能堅持知識分子的業餘立場，在學術八股流行、學術腐敗昌盛的年代，真的很不容易了。

（《靠不住的歷史：雜書過眼錄二集》，謝泳／著，廣西師範大學出版社二〇〇九年版）

《羊城晚報》二〇〇九年四月二十五日

開卷有緣

由京返皖的當天，即收到董寧文先生寄贈的《我的書緣》毛邊本。這是一部主題文集，彙集當今讀書界眾多名家同類題材的短文，配有照片、書影和作者小傳。邊裁邊讀，一篇篇都那麼引人入勝，使我頓時忘卻旅途的疲乏。

我的書緣，真是一個好選題。對讀書人而言，與書結緣，因書結緣，回憶起來，總有著莫名的感動。看到這樣的徵文題目，相信每個讀書人都會文思泉湧，何況一批擅寫書話書評、書人書事的高手，講起自己與書有關的故事，更是津津有味。

有這麼多名家應徵，不能不歸功於該書的編者董寧文；董寧文有這麼好的人緣，又不能不提到一個叫《開卷》的小雜誌。這是一種民間的讀書類刊物，三十二開，一個印張，裝幀樸素典雅，上面刊登的文章大多短小精悍、言之有物。這份小冊子，在讀書界的影響卻不可小覷。據相關報導，張中行在世尚能閱讀時，枕邊放著的就是《開卷》。季羨林住院後，仍堅持閱讀的三四份報刊中，也有《開卷》。《我的書緣》的作者，也大都如此。他們既是《開卷》的長期讀者，更是它的熱心作者。

以《開卷》為平臺，聚集讀書界的各路豪傑，作為執行主編的董寧文，付出了大量時間和心血。從刊物每期都有的專欄「開有益齋閒話」，可以清楚地看到這一點。不僅要組稿、編稿，董寧文還要花更多的精力去寫信、回信，聯絡各方的作者、讀者，給他們寄雜誌、寄書，交換和提供書與人的資訊，甚至去異地登門拜訪。這些無償的、瑣屑的工作，給他帶來無法用金錢衡量的豐厚回報，這就是信任、信賴、信譽。不僅年齡差距不大者，即使長出四五十歲的老前輩，也開口閉口以「寧文兄」相稱。「寧文兄來函，約我寫一篇……」在《我的書緣》中許多文章的開篇，常能讀到類似的句子。

讀《開卷》，在《開卷》上發點東西，與董寧文相識，對許多讀書人來說，都是一件愉快的事。有《開卷》這樣的雜誌，有董寧文這樣的人，真要算讀書界的幸事。看看琳琅滿目、花花綠綠的報刊亭，已經很難找到趣味純粹的讀書類期刊了。幸好還有《開卷》、《博古》、《芳草地》、《書人》、《書脈》、《崇文》等幾份同類的小眾讀物，傳承那一脈書香，成為讀書人「自己的園地」。在喧嘩與騷動中，發現僅有的一點寧靜的棲息地，身為讀書人，又怎能不珍惜這段緣分。

合上《我的書緣》，如果說留下什麼遺憾，那就是，沒能從中讀到董寧文本人寫他自己的書緣的文章。記得好幾年前，他出過一本《人緣與書緣》，可那時《開卷》剛創辦，一切才開個頭。這些年來，以《開卷》為緣，董寧文結交了全國各地讀書界的老老少少，其間一定有不少有趣而動人的故事。而他在蔡玉洗、徐雁等人的支持和幫助下，憑藉《開卷》，為在這個浮躁時代營造書香社會的經歷，更是值得大書特書的一段大書緣。要是他真的來寫書緣這個話題，恐怕不是一篇兩篇文章，一本書也不見得能寫完吧！

（《我的書緣》，董寧文／編，岳麓書社二〇〇六年版）

《芳草地》二〇〇六年五～六期

舊書業的新史料

繼《舊書鬼閒話》之後，虎闈先生又出版了新著《舊書鬼閒事》。所謂舊書鬼，據說是從前舊書行業人員的俗稱，就像郵遞員叫郵差、駕駛員叫車夫。作者覺得很順耳，我卻感到有些彆扭，以為如此稱呼，缺乏尊重。舊書業界其實臥虎藏龍，如寫《販書偶記》的孫殿起、寫《書林瑣記》的雷夢水，怕是一般學者難以望其項背的。

賣舊書與賣新書不同，首先存在版本的問題。什麼版本，如何標價，就很有學問。虎闈先生現為上海圖書公司總收購處主任，古舊書刊標價師，是業內重量級的人物。單憑這一身分，其著作便會受到藏書界的追捧；何況他治學嚴謹、下筆謹慎，不可與那些粗製亂造者相提並論。

《舊書鬼閒事》分為三輯。第一輯「書趣橫生」，大半部分是標準的書話，所談多為民國期間的老期刊和舊平裝。作者對自己的書話寫作要求很嚴，每次確定選題，必然廣泛收集各種信息，細心考證，從不倉促成文。如果發現已有人寫過這方面內容，立刻放棄，絕不作無謂的重複。所以，他的書話常常能給人提供難得一見的材料。我最近在編一本蔣光慈的書，注意到他的繼任妻子吳似鴻，許多介紹只提到是南國社的女演員。本輯中有《流浪少女成才記》一篇，談吳似鴻早年的短篇小說集《流浪少女的日記》，兼及她的其他著作和參加文藝界活動的情況。這些資料，在別處很難查詢。

第二輯「書人悠悠」，寫作者個人的交往與見聞。這裏有知名學者、藏書家，有從事舊書業的同行，也有前來買書、賣書的一般顧客。作者以生動的細節，為我們展現了舊書業界的眾生相，為中國舊書業史留下了鮮活的第一手史料。阿英和唐弢都曾撰文介紹過晚清的《金陵賣書記》及《汴梁賣書記》，本輯的部分內容與之相近，也同樣有趣。如寫一老太太用轎車送書到收購處，當作者按質報價後，她竟然倒還價，讓少給些錢，這真是「舊書店堂有奇人」。書話一體，細分起來，有讀書記、藏書記、訪書記、買書記、賣書記等等。由於種種原因，賣書記的寫作向來最少。所以，此類文字，理應倍加重視。

第三輯「書刊答問」，是《舊書信息報》（現已更名《藏書報》）上的專欄結集。二〇〇三年到二〇〇六年間，作者在該報《服務通道》欄目解答讀者來信的疑問，主要涉及老期刊和舊平裝的收藏知識，特別是具體版本的市場參考價格。作者是業內資深專家，標價自然有一定的可信度。那四年間民國舊書刊的實際行情，在此留下真實的記錄。還有，我們在網上賣舊書，常看到關於「品相」的描述。品相的等級如何劃分，作者根據自己多年的經驗，給出詳細的說明。從十品、九品，依次直到五品以下，都作了明確的界定。有興趣的讀者，不妨找來仔細閱讀，購買舊書時可做參照。

古籍善本的收藏及鑒賞，由於歷史悠久，已達成普遍的共識；民國書刊的鑒藏，近年勢頭正旺，相關規範卻尚未健全，眾聲喧嘩，莫衷一是。《舊書鬼閒事》雖然不是系統的專著，但材料豐富、持論中肯，有很高的史料價值。對於老期刊和舊平裝的愛好者、收藏者、研究者，這本書完全可以歸入「你一定要讀……」之列。

（《舊書鬼閒事》，虎闈／著，上海遠東出版社二〇〇九年版）

《中華讀書報》二〇〇九年六月十七日

卷五

書緣漫錄

施蟄存先生的一封回信

報上見到沈勝衣先生的書評《施蟄存的窗內窗外》，方才記起施先生去世已經整整五年了。就在不久前，整理書櫥，冥冥之中，還檢出一封許多年前施先生給我的回信。

那是一九九五年，我在《文匯讀書週報》上讀到施先生《「貝齒」與「袠」》一文。文章說譚友夏詩中「貝齒有時落」一句不通。而我懷疑原詩裏「時」與「落」兩字，可能是排印顛倒了。同時，我又在一家雜誌上見到一篇署名文章《「別枝」新釋》，覺得很像是施先生以前在什麼地方發表過的一則詩詞小札，便複印一份給施先生寄去，以便證實。信中，也談了我對「貝齒」一句的看法，向他請教。

隔了很長時間，我意外地收到一封精美別致的信件。沒有信封，看上去像是一張對折的賀卡，開口一邊用一小段透明膠帶粘了一下，一面印著一幅國畫小品，一面上方寫著投遞地址，貼著郵票，下方印著的小字中有「北山樓」三字。我知道，這是施先生的回覆了。揭開透明膠帶，只見對折硬紙的內面寫道：

桑農同志：

五月尾收到來函，稽遲未即覆，不久，我就病了，住入醫院，折騰了一個多月，前幾天才回家。今天檢出來函，才想起奉覆，恕遲了。

《別枝》一文是我的，全文被抄，這不稀奇。我的《唐詩百話》被抄竊二十萬字，一字不改，換書名為《唐詩新論》，由安徽文藝出版社印行（一九九三），我也在最近才知道。

「貝齒」句你說得不錯，「有落時」就沒有問題，「有時落」就不對了。

問好

施蟄存　一九九五年八月十四日

我隨即給那家雜誌去信，很快收到答覆，說是已經勒令剽竊者寫檢查。後來，我在一本施先生的文選裏看到那篇被人抄襲的文章，原名《別枝》。文末注明，該文也是首發在《文匯讀書週報》上。

二〇〇三年十一月十九日，九十九歲的施先生壽終正寢，曾有消息徵集他的書信出版。當時忘了記下聯繫方式，心裏想，過幾天查一下。可一耽擱，五年過去了。施先生的海外書簡已有人收集出版，國內部分的通信至今尚未面市。現在，公開這封私信，一方面，是在施先生五周年的祭日，表達一位普通讀者的紀念；另一方面，也希望《施蟄存書信集》或《施蟄存全集》的編者能夠看到，如果需要，我將非常樂意提供這封珍貴書信的原件。

《文匯讀書週報》二〇〇八年十一月二十一日

追憶左孝武先生

最近在一家舊書店，見到舒蕪先生幾年前出的《碧空樓書簡》。書中收錄了作者致程千帆、荒蕪等六位友人的書信。其中有位左孝武先生，一般讀者恐怕從未聽說過。當年，孝武先生去世，舒蕪在報上發表第一批書簡，以示哀悼。我也曾有意寫一篇紀念文章，因為孝武先生與我有忘年之交。

孝武先生與舒蕪是同鄉，安徽桐城人。孝武先生的左家，舒蕪的方家，都是桐城的大姓。兩人的通信，正是從敍談鄉誼開始的。

孝武先生早年畢業於一所商業學校，分配到我出生的那個縣城工作。不久被打成右派，送往勞改農場。平反後恢復公職，已是人到中年。我師範畢業後回家鄉教書，課餘常去他家借書看。雖然是會計出身，孝武先生收藏的卻是些文史類書刊。《讀書》、《隨筆》、《文匯讀書週報》，我最早都是從他那裏看到的。

他先是在煤建公司上班，後來調到土產公司，住在單位後院兩層樓的宿舍，樓上樓下各一間。我每次去，只在樓下與他家人打聲招呼，便徑直上樓，到他那連著陽臺的臥室兼書房裏，翻一翻書，聊一聊天，臨走借幾本，過幾天看完了，再來換。他總是不厭其煩，也從不以長輩自居。他家人見這一老一小如此投機，也頗受感染，有時我去了他不在家，也讓我一人上樓，隨便翻看，等他回來。我至今仍清晰地記得，那二樓南邊僅十二三個平方的半間小屋。書櫥的頂上都堆滿了書，書桌上總有翻開的書刊或報紙，還有一隻放大鏡。朝向陽臺的門總是敞開的，門上貼著一幅對聯：「有書真富貴，無事小神仙。」

孝武先生的朋友似乎也不多，能談談讀書心得的就更少了。我們在一起時，從不談各自單位的事，家庭的事也少涉及，只談一些書人書事。所以每次見面，談得都很愉快。他在單位的人際關係並不好，性情耿直，愛發脾氣，同事和領導都避著他，好處自然沒他的份。這些，我都是偶爾聽人說的。他在我面前，總是一副怡然自得的樣子，好像一談到書，生活中的種種煩惱就消失的無影無蹤了。

後來，我離開故鄉，來到現居的城市工作。每次回老家，我都要去拜望他，順便拿幾本書刊，消磨節假日的時光。他總能拿出點什麼讓我開眼，如臺灣親戚寄來的台版書，港版書，還有中文版的《讀者文摘》。後一種中常有幾頁被撕掉，殘損之處還蓋上了海關的官印。當然，他也將舒蕪的信件給我看過。

有一年，他外出訪友，繞道來看我，留住了幾天。當時，我還住在學校。校園很寧靜，綠蔭覆蓋面很大，不時能聽到枝頭的鳥鳴。我陪著他在校園裏到處轉轉，去圖書館、閱覽室，或待在家裏看看碟。我給他放了張藝謀的電影《活著》，他看後欷噓不已。我想經歷過那個時代的人，更容易產生共鳴吧。他拿出一份回憶自己右派生涯的文稿，也就是舒蕪在書簡題記中提到的《片竹錄》，約有兩萬字。文章敍述平實，但讀來驚心動魄。我當時覺得，此文適合《黃河》雜誌中的某個欄目，便寫了封推薦信，特快專遞寄給時任該刊副主編的謝泳先生。他離開後第二天，謝泳先生就來電話，說文章看了，留用。我把消息轉告他，他自然很高興，還寫信跟舒蕪說了。

然而直到他不久去世，那篇文章也沒有發表出來。我是在報上讀到舒蕪的哀悼文字，才知道他已病故。當即打電話給謝泳先生詢問稿件的事，回答說那個欄目後來被取消了。雜誌有它的難處，能夠理解，可我總覺得自己沒把事情辦成，對不起意外早逝的孝武先生。現在想來，還彷彿一塊石頭壓在心上。

我一直想寫點文字紀念孝武先生，可遲遲沒有動筆。寫什麼呢？寫他年輕時失言，淪為右派，生命中最好的時光被耽誤了？寫他潔身自好，孤芳自賞，不合時宜，不能適應社會的變化？寫他一生磕磕絆絆，希求過上平靜、安逸的日子而不得？寫他終身與書為伴，又不以此謀生，只是陶醉在閱讀的愉悅中？像這樣的讀書人，在我們身邊不是有很多嗎？來到這個世界上，默默無聞；離開這個世界，無聲無息。要不是舒蕪公開發表了寫給他的書信，恐怕連名字都不會為外界所知曉。

翻閱《碧空樓書簡》，不禁對作者頓生好感，不僅因為他讓我重讀了那些曾見過手跡的書簡，看到書中影印的孝武先生的相片，喚起了我的回憶與懷念，更因為他對一位普通而平凡的讀書人的情誼。

《蕪湖日報》二〇〇九年六月三日

梅花香自苦寒來

我是在北京朝陽區文化館舉辦的一次研討會上見到梅娘的。她在來賓簽名冊上寫下「孫嘉瑞」三個字時，我就站在旁邊，心裏犯嘀咕：這位衣著樸實、滿臉滄桑的老太太，不知是京城哪路高人？輪到她發言，主持人介紹說：今天大家有幸見到在文壇沉寂了半個多世紀的梅娘先生……不僅是我，在場所有人的目光都被吸引了過來：原來默默坐在一邊的孫嘉瑞，竟是淪陷區文學史上赫赫有名的作家梅娘。

梅娘說，她已經八十五歲了，平時很少出門，之所以來參加這個會議，是因為主辦單位的一份刊物最近出了專輯，收錄了紀念她的老朋友、同為淪陷時期女作家雷妍的十篇文章。這組文字曾投給多家報刊，均未被採用，在此卻一次全部刊出，她很感動，特意來表示感謝。梅娘還說了一句耐人尋味的話：「覺得容易反倒不容易，覺得不容易反倒容易了。」不了解背景的人，也許覺得有點玄乎；可知道梅娘坎坷一生的人，都能體會到這話中所包含的辛酸與徹悟。

梅娘早年喪母，筆名即諧「沒娘」之音。不過，從小家境很富裕，接受了良好的教育，十六歲就出版了習作《小姐集》，隨後赴日本留學。其間，與在東京半工半讀的北京青年柳龍光產生了愛情，遭家庭反對，斷絕了經濟關係。後來，兩人回國結婚，在報界謀生。梅娘一直堅持文學創作，四十年代初期，先後出版了小說集《第二代》、《魚》、《蟹》等。由於在特定的時間和地點，這些風靡一時的小說，給她帶來的，不是應得的榮譽，而是意想不到的災難。日本侵略者當局，為營造「大東亞共榮」的景象，授予她「大東亞文學獎」。儘管獲獎作品毫無政治色彩，卻是永遠無法脫掉關係了。

與梅娘一同獲獎的，其實還有袁犀，即後來創作電影《歸心似箭》的李克異。不久，李克異被捕，還是梅娘的丈夫柳龍光出面擔保，從日軍監獄脫身後投奔了八路軍。柳龍光利用自己記者身分掩護抗日志士，不止這一例。解放前夕，他受北平地下黨派遣，去臺灣策反，遇海難亡故，梅娘則帶著孩子返回大陸。

肅反開始了，厄運隨即降臨。與日本人關係密切，自然是漢奸文人。柳龍光不知所終，也許是當了國民黨特務，梅娘潛返，定是與之內外呼應。漢奸特嫌的罪名，算是背上了。一九五七年，又被打為右派，緊接著是文革，梅娘的遭遇可想而知。開除公職、勞動改造長達十六年之久。貧困交加，二女兒和小兒子都因無錢醫病，不治而亡。相依為命的大女兒，也一度表示與之劃清界限。而這一切，她都忍受過來了。替人家當保姆，還幹各種各樣的零工粗活，如在車站當過裝卸工，在建築工地當過泥瓦匠。有一段時間，她每天天沒亮就到街道居委會等活幹，接到一份活，便高興得不得了，因為那是她唯一的生活來源。

遇羅克的父親與梅娘是難友，兩家有來往。小羅克聽過梅娘講解《楚辭》，也喜歡和她「爭論」。一次，問起為什麼要回祖國，梅娘在他的筆記本上寫下屈原的詩句:「亦余心之所善兮，雖九死其猶未悔。」史鐵生初遭不幸時，朋友跟他談到「孫姨」，一個特棒的老太太，五七年的右派，只能在外面偷偷地找點活兒幹，養這個家，還得給兒子治病。從沒見她愁眉苦臉、唉聲歎氣。要是愁了，她就一個人在屋裏唱歌。朋友說：「保證你沒見過那麼樂觀的人。那老太太比你可難多了。」後來，史鐵生見到了「孫姨」，可當時並不知道她是一位叫「梅娘」的著名作家。梅娘得知史鐵生在學寫小說，對他說：「寫作這東西最是不能急的，有時候要等待。」

事實上，梅娘早就被迫中斷了文學創作。解放後，偶爾奉命翻譯和編著的一些書，都不能署自己的名字。直到八年前，她的一些舊作才得以在梅娘的名下輯集出版。當她把新出的書送給已是文壇重鎮的史鐵生時，不無傷感地說：「現在可是得讓你給我指點指點了。」

梅娘的復出，在海內外掀起一股不小的熱潮。這與通常的媒體炒作無關。她作品自身的價值，以及其中體現的殖民主義和女性主義的張力，引起當今文學研究界濃厚的興趣。北美、日本和中國國內，以梅娘小說為選題的碩博論文和論著不斷湧現。幾部通行的現代文學史上，也都給了她一席之地。現代文學館裏，她的照片和生平簡介，與張愛玲、楊絳的並排掛在一起。她還入選了所謂中國現代文學百家，《梅娘代表作》甚至列入中學生必讀文庫。不久前出版的《梅娘近作及書簡》，一上市，便引起廣泛的關注。

面對遲到了半個世紀的榮譽，梅娘的心情自然十分激動。得知自己被寫進文學史並有正面評價時，她忍不住「仰面向天，喃喃自語」。然而，對於自己的名聲地位，她似乎沒有太多的關心，更多的注意力卻是集中在與自己有著相同遭遇的女作家身上。她寫了《兩個女人和一份婦女雜誌》，為關露澄清一些事實真相；她得知新文學大系選錄了為避難隱姓埋名的吳瑛的作品，便千方百計尋找她的家人；她還為英年早逝的雷妍，寫下一篇感人的《往事依依》……替那些「被冷落的繆斯」鳴不平，是她晚年最上心的事。

現在，梅娘獨自住在退休前所在單位的老宿舍裏，默默無聞地過著柴米油鹽的家常日子。周圍的人，至今還沒幾個知道她就是大名鼎鼎的梅娘。寄來的信，如果寫著「梅娘收」，一定會因「查無此人」而被退回。女兒在加拿大，為她提供了優越的生活條件，她去住了一段時間，還是回來了。她說在那兒住不慣，還是喜歡北京。可就是在這所各處書店都熱賣她的書的城市裏，她與外界也沒有什麼聯繫，基本上不出來參加任何活動。只是偶爾有一兩位記者或研究者短暫的拜訪，打攪了她生活的寧靜。

在那次研討會中間休息的時候，許多人慕名上前，請她簽字留念，梅娘都是一筆一劃、工工整整地寫下「孫嘉瑞」三個字。只有一回，經再三懇求，她才題寫了一句「梅花香自苦寒來」。這是一句被人說濫了的格言，用在這裏卻有著驚人的契合。「梅花」，不就是梅娘的隱喻嗎？「苦寒」，是她多災多難的人生境遇；而「香」，正是她飽經滄桑的一生所散發出的人格魅力。

《藏書報》二〇〇六年一月二日

馬悅然講的兩則軼事

二〇〇五年十月二十日，在北京大學，與朋友一起吃過晚飯後無事，聽說外國語學院會議室有個報告會，便趕去看看。進門方知是馬悅然先生演講「我的學術生涯」，聽眾席裏還坐著余華、莫言、李銳、趙玫等名作家。這樣規模的活動，在北大本屬稀鬆平常。之所以在這裏說起，是因為馬悅然報告裏講到兩則軼事，涉及的兩位詩人也是《開卷》的作者，「開卷文叢」第一輯中還收了他們的作品。

談到翻譯「朦朧詩」時，馬悅然回憶起一九八二年到上海作家協會訪問。那時人們對新出現的「朦朧詩」不理解，甚至有忌諱。座談會上，只有一個人站出來為「朦朧詩」說話，這個人就是辛笛。據說，辛笛當時很激動地講，「朦朧詩」是個好東西，中國最美的詩就是「朦朧詩」，並當場背誦了李商隱的詩為例，還說卞之琳的詩也是「朦朧詩」，比今天的「朦朧詩」還朦朧。馬悅然轉述的，應該不會錯。暑假中，王聖思女士惠寄來她為父親撰寫的傳記《智慧是用水寫成的》，其中也有辛笛肯定「朦朧詩」的章節，只是書裏未曾提及參加接待馬悅然座談會並發言一事。

有人提問「對當今中國的印象」，馬悅然說，曾在四川與「老朋友」流沙河交換過這方面的意見。流沙河對他講：「我們現在窮得只有錢囉。」這句話應該是流行的諺語，知識產權本不屬於流沙河。不過，從流沙河口中說出，給馬悅然留下很深的印象，再由這位洋人用純正的四川腔復述，當場引起一陣笑聲。我感興趣的是，馬悅然稱流沙河為「老朋友」，那口氣彷彿兩人關係不同一般，流沙河的文章中，似乎沒有提到過他與馬悅然的交往。

《開卷》二〇〇六年第一期

收藏《開卷》

新一期《開卷》的「閒話」欄裏，摘錄了陳學勇先生的網信：「與《開卷》最有感情，決心全套收藏唯它。」對於其中「收藏」兩字，我深有感觸。

按理說，要收藏的總該是舊的東西，而且越舊越好，書籍、期刊也不例外。一份正在按期出版的雜誌，不斷會有新的一期，現在就談收藏，那足以說明它的價值，乃至歷史地位，已經不言而喻。的確，即使從中國現代期刊史上看，《開卷》也是可以寫上一筆的。自辦、自費、以贈閱為主，每月一期，持續八年之久，可謂奇跡，況且它獨樹一幟的形式和文風，它的作者群，以及在讀者中的影響，都是值得探討的現象。如同上個世紀某些風靡一時的刊物，人們只是興奮地傳閱，不注意留存，今天想要找齊全套，談何容易。不久的將來，《開卷》一定是期刊收藏界追捧的珍稀品種。有人當下就開始收藏，應該是有遠見卓識的。遺憾的是，我明白這一點，有些為時已晚。

記得《開卷》創刊之際，承蒙徐雁先生的關照，提交了我的聯繫地址，使我即時受到贈閱。對於這份三十二開、一個印張的小冊子，我一開始並沒有特別放在心上，只覺得一家叫鳳凰台的飯店辦的內刊，又不是公開發行，無非一時興起，弄著玩玩而已。不過，《開卷》上的文章質樸、簡練、言之有物，倒是頗合味口。給一位趣味相投的書友看，他很喜歡。於是，每期翻看一下，隨即轉送給他。

大約過了一年之後，我漸漸覺得，在四處充斥著花花綠綠的刊物的年代，有這麼一方讀書人的淨土，實屬不易。我有一個習慣，碰到心儀的雜誌，便想也在上面露個臉。通過投稿，我結識了執行主編董寧文先生。他還親自寄贈《開卷》給我。這樣，我就有了兩份《開卷》，一份自己留著，一份轉贈書友。過了一段時間，負責按名單郵寄贈刊的辦事人員，大概知道我已另獲主編的贈閱，便停止郵寄，我又只有一份《開卷》了。而此刻，我已經愛上了這個小刊物，決定自己留存，再也捨不得將它送人。書友每每問起，我都含糊地搪塞，怕他拿去看後不還，又不好討回。那時的心理，實在可笑。

也就是從那時起，每期都等著收閱。看後，又都細心保存起來。偶爾沒有收到，還寫信去，請寧文先生補寄。寧文先生總是不厭其煩，先後幾次，著實讓人過意不去。近兩年，為了減輕他的負擔，我開始寄交會員費。每年二十八元，即可按期收到鳳凰台飯店書吧寄來《開卷》。它成了我自費訂閱的極少幾份報刊之一。

當初只是隨便翻翻，慢慢開始一期不落地讀，最後居然還想全套收藏。這樣的期刊，對我而言，僅有三種。一是《讀書》，二是《萬象》，三就是《開卷》了。這三種刊物都有自己獨特的風格，都有個性鮮明的主持人，背後又都有一幫志同道合者，都編有拓展延伸的叢書，甚至都有一些新辦或改版期刊仿效它們。而它們的地位和影響，都是望塵莫及的。《讀書》是收不齊了，幸好有前二十年的光碟版，可以退而求其次。《萬象》編者更替時，便決定將前面的補齊，多方努力，現在還缺兩期。《開卷》本來應該是全的，可惜前期的送了書友。而這位書友是有心人，將我送他《開卷》創刊號帶到南京，請寧文先生題了詞、簽了名，這就更不便索還了。我問過鳳凰台飯店書吧的具體負責人，連早期的合訂本也都缺貨了，想要配齊，根本無從辦到。

寫到這裏，又記起五、六年前，在南京，逛朝天宮的古玩市場，見到一攤物件和幾本舊書之間，有塑膠套封著兩冊《開卷》。我當時還譏諷說，這東西也能拿來賣？不遠處的鳳凰台飯店就有，自己去取，都不要錢的。攤主笑而不答。我回來對人提起此事，覺得不可思議。現在看來，打算配齊全套《開卷》，真的要到古玩市場去淘了。

《我的開卷》，董寧文／編，譯林出版社二〇〇八年七月版

《麗莎的哀怨》編後記

有一首流行歌曲叫《半城山半城水》，唱的就是我現居的城市。那山叫赭山，那水叫鏡湖。我上班的學校正背靠赭山，面向鏡湖。校園裏有一塊地方，九十年前是安徽省立第五中學的校址。校園幾經改建，五中的遺跡早已蕩然無存。

整整九十年前，五四運動的影響波及到這裏。五中的一位學生，開始以蔣光赤的筆名發表文章，在校內組織罷課，在校外鼓動罷市。這個學生不久去上海接受培訓，接著被派往蘇聯學習；回國後，致力於文學創作，成為中國第一位革命文學作家。後來，他改名蔣光慈，創辦太陽社，參與左聯的發起，在當年的文壇上顯赫一時。

然而，正當他處在創作旺盛時期，因為一部「大膽嘗試」的小說《麗莎的哀怨》，遭到地下黨內部錯誤路線的批評，加上其他原因，竟被開除黨籍。同時，因為他的作品屬於普羅文學，又遭到國民黨政府的查禁，本人也被便衣特務盯梢。內外交迫，貧病交加，年僅三十一歲，他便離開了人世。

現在，回過頭來重讀蔣光慈留下的九本小說，草創期的粗糙痕跡十分明顯。如果還有足以傳世，或者說，還有值得一代一代讀者反覆閱讀的作品，恐怕就是這部《麗莎的哀怨》了。這一觀點並非主觀臆斷，本書附錄所收的相關文獻可以證明。

在小說出版後不久，作者的朋友、同為革命作家、後來還成為革命烈士的馮憲章便撰文作了熱情的讚揚。他的觀點，與作者的創作意圖基本一致。未曾想，另一位革命作家、左聯實際負責人之一的陽翰笙（華漢）隨後寫了一篇反駁文章，指出小說動機與效果相悖，思想內容屬於政治不正確之列。後來，地下刊物所刊載蔣光慈被開除黨籍的通報中，指責這部小說的錯誤，理由如出一轍。

蔣光慈去世的同時，也淡出當時讀者的視野。建國後的文學史，大多採取「一分為二」的策略，肯定他的某一面，否定他的另一面。直到改革開放之初，對蔣光慈的研究才走上正軌。他的黨籍問題，也被提將出來。另一位曾是左聯重要負責人的夏衍，在回答採訪時，記不得當年組織做出的決議，說蔣光慈沒有被開除黨籍，他可證明，還說陽翰笙也可以證明。可研究者找到了「一件史料」，即地下黨機關刊物《紅旗日報》上刊登的一則簡訊。近些年，關於這一事件的來龍去脈，仍有人在撰文探討。有人還在中央檔案館查出當時中共中央關於開除蔣光慈黨籍的通知。事情的真相，基本予以澄清。

對受到當年錯誤路線嚴重批評的《麗莎的哀怨》，如何重新評價，逐漸成為蔣光慈研究的一個焦點。本書附錄部分最後三篇文章，是從近三十年眾多評論中選出，具有代表性的。《關於蔣光慈<麗莎的哀怨>的評價》一文分析了作品思想上的矛盾，肯定了藝術上的進步，代表上個世紀八十年代文藝界撥亂反正的思潮。《「文體」的困惑》一文運用現代敘事學理論解讀作品，探討被誤讀的原因，代表上個世紀九十年代文學研究範式的轉向。《女性成長的另類書寫》一文從現代學術視野，闡釋作品藝術探索的實驗性，以及所展示的人性深度，代表著二十一世紀年輕學人的新思維。有意思的是，這最後一篇文章，與最初馮憲章那篇文章，同樣是作正面評價的。儘管評價的標準不同，這部小說的經典地位再一次得到認可。

按照接受美學的觀點，所謂經典，一定是能被不同時代、不同讀者接受的作品。附錄所收的九篇文章，完全可以看作《麗莎的哀怨》這部經典的接受史縮影。從歷時性的接受過程中，我們可以看到文學觀念的變化，也可以看到社會價值觀的變化。其間的意義和啟示，又遠遠超越了文學本身。

《燕湖日報》二〇〇九年四月八日

疑似筆名

在報刊上發表文章，也曾用過幾個筆名，可都是因某種需要，臨時湊合的。值得一說的，反倒是我的疑似筆名的本名。

有些初次打交道的編輯，會來個電話，問稿費單上填什麼名字。很顯然，這是誤以為我的署名是筆名了，怕我拿身分證去郵局取錢時有麻煩。我當即作了解釋，並感謝他們的細心與好心。對方總是帶著笑意說：「這個名字太像筆名了。」

我始終有些困惑，自己的姓名有什麼特別的，編輯先生或女士們竟會把它誤當作筆名。我沒有問過他們，只是有兩次，都是在餐桌上，偶爾聽到兩位編輯的高見。一位說這個名字很有詩意，而且是田園詩意。那大概是聯想到「把酒話桑麻」，以及《陌上桑》、《採桑子》之類了吧。另一位說，除了我的名字外，還見過一個同樣好的名字，就是「戴笠」，字「雨農」。把我和那位「戴老闆」等量齊觀，讓人有點哭笑不得。

我不清楚，這兩位編輯的看法是否具有代表性。自小聽到的、寫下的、再熟悉不過的兩個字，在別人眼中竟有這樣陌生化的效果，實在出乎意料之外。通常，與人初次見面，解釋姓名兩個字怎麼寫後，也會聽到一些稱道的話，我只覺得是應酬客套，沒當回事。編輯卻是整天和文字打交道的人，對這兩個字也如此敏感，使我不能不在意起來。

其實，「桑」不算是特別少見的姓，名字中有「農」的人也很多，而這兩個字組合在一起，無非與果農、菜農近似，並沒有什麼與眾不同。若一定要引經據典，最容易想到的應是《農桑輯要》一書。古人將農桑並列，自然可以更遠地追溯到耕織文化的源頭。農耕文明的自然經濟，便是男耕女織。耕是務農，織需要種桑養蠶。農和桑，原來關係到民生之根本。古文中說「農桑不足以供應」，就是吃不飽、穿不暖的意思。把這兩個字顛倒過來，桑和農，與之相對應的，則是溫和飽。這可是老百姓日常生活的基本需求，是再現實不過的事情，看不出有什麼詩情畫意。或許，只是因為所代表的生活方式已顯得過於儉樸、古老，在現代人的心目中，這兩個字本身也變得「古雅」起來了？

話說回來，我的姓名到底有何寓意，我說的也不能算數。因為那是我的本名，而不是筆名。筆名是自己取的，其間的隱含意義由自己賦予；本名則是父母取的，自己僅僅是被命名，做不得半點主，也就毫無發言權。然而，我至今沒有問過父母，怎麼給我取這樣一個名字。最近，父親寫了一組雜憶文革的舊體詩詞。其中《批鬥會》一詩裏有「兒子名農復舊朝」一句，自注云：「兒子取名農被批者誣為意圖復辟小農經濟地主天堂。」這真是「欲加之罪，何患無辭」。即使談階級鬥爭，農民和地主也是對立的兩個階級，怎麼可以混為一談。再說，取名「農」字，何以見得不是要向貧下中農學習呢？只有那個荒誕的年代，才會有這樣荒誕的事吧。

對於我自己，這個姓名也曾帶來過不必要的麻煩。那倒不是被用來羅列罪名，而是由於方言發音的問題，別人聽寫時，會出現筆誤。在我所屬的方言區，s 和 sh 不分，l 和 n 不分，我的名字有時被人想當然地寫成「商農」或「桑龍」。尤其是後一種錯誤，有一次，差點讓我的本名失去了合法性。那是當年工作調動，要遷戶口，有人主動代勞，我也就懶得過問。一天偶爾翻看新的戶口本，發現「農」字被誤寫為「龍」，連忙去派出所更正。沒想到辦事員不予受理，說有明文規定，成年人不能改名字。我拿出身分證、單位證明信，都無濟於事。情急之下，看到桌上一張當天的本埠日報，裏面有我一篇文章，便翻給辦事員看，說我一直用的就是這個名字，不信，報上都是這麼寫的。辦事員用眼角掃了一下報紙，然後說，誰知道那是不是筆名？是啊，也許我本名原為「龍」字，覺得太常見了，發表文章時便改用「農」字，後來乾脆想把戶口本上的名字也改掉。這樣的推測，不能說不在情理之中。我真是百口難辯了。好在隨後查到原籍的檔案，證明是遷移過程中弄錯了，才得以改正，恢復原名。否則，我的本名真的只能作筆名用了。

《我的筆名》，董寧文／編，嶽麓書社二〇〇七年一月版

玲瓏閣記

幾年前，在一家報紙上開專欄，取名「玲瓏閣札記」。有人問起，回答說：玲瓏閣是我書房的名字，札記即讀書筆記。至於為什麼叫玲瓏閣呢？或許有隱含的意義，可不足為外人道，只說是指書房很小。

玲瓏閣的確很小，約有十個平方。公寓樓裏的住宅，大多設計了這樣一間小小的書房。如果家庭人口不多，沒有改作別的用途，都會放一台電腦，擺幾架書。看上去，也是一個像模像樣的書房。玲瓏閣就是這樣一個小房間，沒有什麼特別。一面有門，一面有窗，兩面是書櫥。中間只能放下一張電腦桌、一張椅子和一張沙發。其實，這已經足夠了。能有這樣一片小小的空間，泡一杯清茶，翻幾頁閒書，人生何求？

若說小的缺點，恐怕是容量有限。書越來越多，書櫥擺不下了，堆在地板上；地板上堆不下了，隔一段時間便要處理一次。好在我沒有收藏的癖好，看過之後不會再看的書，常放回書店廉價賣掉，或乾脆當廢紙讓人收去，絲毫沒有「揮淚別宮娥」的意思。有位相熟的作者寫文章，說在書店見識過兩個奇怪的顧客。一個買書，每種兩本，看一本藏一本；一個買書，看了就賣。前者是我的一個書友，後者應該是我了。我賣書並非在乎金錢，只是覺得讀書如同抽煙、喝酒，讀過的書，也就如同剩下的煙盒、酒瓶，及時丟掉，沒什麼遺憾的。自然，那些經得起反覆閱讀的書不包括在內。因為書房很小，不時地檢查一下，哪些書值得留下？哪些書可以淘汰？清理藏書，同時也順便清理一下思緒，未嘗不是一件好事。

我是一個雜覽主義者，即使進了我的書房，看了我的藏書，也無法確定我的專業。所謂專業必讀書，以及賴以謀生的教學用書，玲瓏閣裏只有零星的幾冊。常去光顧的幾家書店的老闆覺得困惑，來的是什麼樣的人，要買什麼樣的書，他們心裏一本明賬，可總是猜不准我這次會需要哪一類書，熱心的推薦每每落空。巡視我的書房，則可以看出我最近對哪些門類保持著興趣。因為那些沒被賣掉的書，大致有兩類：一類是感興趣，尚未完全弄懂的；一類是弄懂了，還有興趣再看的。所以，坐在玲瓏閣裏，面對著書櫥裏和地板上的書籍，我總是興趣盎然。隨便找幾本有趣的書翻翻，寫一點讀書心得，是交流也是消遣。書房對我而言，不是工作室，而是後花園。外面的世界很大，免不了喧嘩與騷動；書房的天地很小，卻能給人寧靜與安逸。

當然，玲瓏閣並非一個封閉的空間。不僅有互聯網可以收集各種資訊，透過訂閱讀書類報刊，也可以追蹤讀書界的最新動態。如我常年訂閱的「兩報一刊」——《文匯讀書週報》、《中華讀書報》和《讀書》——就能提供有價值的資訊，使我保持著對前沿的關注。古人說，秀才不出門，能知天下事；今天，要做到這一點，更加容易。只怕是天下的事太多了，想關心都關心不過來。還是回到自己小小的書房裏，將我的玲瓏閣收拾乾淨，守護那份澹定的心境吧！

《大江晚報》二〇〇九年一月一日

附錄

玲瓏閣札記（十九則）

有位朋友在文章中說：「記得還在書店裏遇到了桑農老師，……桑老師的文字也是我喜歡的。有段時間，他報紙上開專欄，我要他將文章發郵件給我看，那是至少三四年前的事情了。前陣子找一篇稿子，在辦公室的櫃子裏還找到了桑老師的這些文章，我當時打印下來了。還是比較喜歡看紙上的文字，好像更容易吸收。」下面一組文字，就是選自那個專欄。

宋玉和鄰女想像

宋玉寫過一篇《登徒子好色賦》，讓登徒子成了好色之徒的代稱。其實，在原文中，登徒子很愛自己的糟糠之妻，並與她生了五個孩子的人。是登徒子在楚王面前說宋玉好色，宋玉才寫下這篇賦，來表示自己的清白與高潔。

《好色賦》裏有一段很有名的話：「天下之佳人，莫若楚國；楚國之麗者，莫若臣里；臣里之美者，莫若臣東家之子。東家之子增一分則太長，減一分則太短；著粉則太白，施朱則太赤。眉如翠羽，肌如白雪，腰如束素，齒如含貝。嫣然一笑，惑陽城，迷下蔡。然此女，登牆窺臣三年，至今未許也。」

宋玉所說的是否可信，暫且不管。用這件事來說明自己不好色，怎麼看都不免顯得矯情。劉勰說：「宋玉賦好色，意在微諷。」這是不錯的。宋玉是想告訴我們，美女的誘惑是對男人是否好色的嚴峻考驗。但是，用文字誇飾女子的美色，本身也是一種好色的表現。對美色的想像越豐富，好色的慾望越能得到潛意識的滿足。所以，不論作者自稱主旨多麼純正，好色的心理還是滲入他的行文之中。明清時期的那些色情小說，不也多是宣稱為了戒淫、有諷喻的意圖嗎？這正是所謂「勸百而諷一」啊。

再說，宋玉為證明自己不好色，把女性編派成誘惑者，竭盡誇張之能事，反而使敍述顯得十分虛假。憑著賦中有關美色的鋪陳與臆想，就很難說宋玉對東鄰之女沒有動過心。如賦的結尾處所言：「目欲其顏，心顧其義，揚詩守禮，終不過差。」最終是「止乎禮義」了，但那也是「超我」壓抑「本我」的結果。宋玉還不如齊宣王來得痛快，「寡人有疾，寡人好色」，這又怎麼了。

宋玉《好色賦》中對鄰女的想像，正像他《高唐賦》、《神女賦》中對神女的想像一樣，是中國文學史的一個傳統母題。現代生活在城市的人們，鄰里之間往往老死不相往來。過去則不同，那時又沒有電視、互聯網之類的傳媒，沒有明星、偶像可以寄託情思，只好去關心隔壁的事情。對於男性的作者，鄰家的女子很容易激發他創作的靈感。他們自覺或不自覺地受到宋玉的影響，當然，很多都經過了改造和變形。

蒲松齡《聊齋志異・紅玉》中有：「一夜，相如坐月下，忽見東鄰女自牆上來窺。視之，美。近之，微笑。招以手，不來亦不去。

固請之，乃梯而過，遂共寢處。」其中性幻想方面的直截了當，恐怕要令宋玉瞠目結舌。

金克木《鄰女》一詩寫道：「……願意每天聽著你的格格的笑聲。／願意每天數著你的輕快的腳步。／……你換上一件緋紅的春裝，／我的窗上便映出一片霞光。／你再換一加深黑的素服，／我的窗上又有了迷蒙的煙雨。／你的四季在身上變換，／我的四季卻藏在心裏。／……願我永在牆這邊望著你，／啊，願我永做你的鄰人。」這裏，現代男性的單相思，已經不像宋玉的想像那樣自戀、自信、自以為是了。

卓文君私奔以後

報上讀到毛尖女士《我們私奔吧》一文，想起中國歷史上最有名的一次私奔。那是西漢年間，大才子司馬相如到大財主卓王孫家赴宴。卓王孫的女兒卓文君新近寡居家中，才貌雙全，精通音律。司馬相如便於宴席上彈琴唱道：「鳳兮鳳兮歸故鄉，游遨四海求其凰。有豔淑女在此房，室邇人遐毒我腸，何緣交接為鴛鴦。凰兮凰兮從鳳棲，得託孑屋永為妃。交情通體心和諧，中夜相從知者誰？」卓文君對司馬相如仰慕已久，聽他弦歌，心領神會，於是真的「中夜相從」，與司馬相如一起私奔了。

這場私奔在當時引起轟動，後人也是議論紛紛。雖有道學先生的非難，大多數人卻是比較通達的，只是視為一段風流韻事。而一些開明人士還稱讚卓文君的行為，如明代李贄說卓文君是「善擇佳偶」，清末一位翰林也說「開闢以來第一快事，莫如卓女奔相如」。五四之後，卓文君更以追求愛情、追求自由的女性形象出現在文學史上。

卓文君的確是一位了不起的女性，她的見識和勇氣都值得敬佩，但我們在讚賞她驚世駭俗的行動同時，是不是也應該關心她未來的命運呢？

司馬相如和卓文君結婚後，有知音相伴，更是蕭閒自適，正如李賀詩云：「彈琴看文君，春風吹鬢影。」但這對神仙伴侶，也得為稻粱謀。司馬相如滿腹經綸，卻不會別的謀生手段。朝庭不用他，生計無著落，兩人便商議開了一家酒店，卓文君當壚賣酒。這件事也一直被傳為佳話。我們當然可以想像卓文君是心甘情願的，為了司馬相如，她有什麼不願做呢？可從司馬相如這邊看，則有些問題。既然求得佳人，卻不能提供必要的生活條件，還要讓對方來養活自己，他大概不會心安理得吧？！

當然，如此同甘共苦的日子，若能終老一生，也是一種幸福。可後來情況發生了一些變化，司馬相如應詔入京了。儘管並未得到多大重用，卻樂不思蜀，移情別戀。卓文君得知消息後，寫下一首令人感歎的《白頭吟》：「皚如山上雪，皎如雲間月。聞君有兩意，故來相訣絕。今日斗酒會，明旦溝水頭。躞蹀御溝上，溝水東西流。淒淒復淒淒，嫁娶不須啼。願得一心人，白頭不相離。竹竿何嫋嫋，魚尾何徒徒。男兒重意氣，何用錢刀為！」司馬相如的那首《鳳求凰》，也許是後人附會的偽作；卓文君的這首《白頭吟》，則是由古本保存下來的，且游離於傳說之外，可信度較大。

卓文君為司馬相如做出了那麼大的犧牲，也不能免遭束之高閣、成為棄婦的可能。《鳳求凰》的歡愉之後，接著會有《白頭吟》

的哀怨。在一個以男性為中心的社會裏，這恐怕是女性難逃的宿命。周作人《談卓文君》一文中說得好：「一二賢哲為反抗禮教的壓迫特為卓氏說一句話，其意甚可感，若有人遂以為她是幸福的女人，則亦猶未免為傻瓜也。」

焦母情結

美國哥倫比亞大學出版社新近出版了一本 Writing Women in Modern China（《現代中國女性作品選》），選譯的作品多是文學史上常見的，但也有我們今天不太熟悉的，如袁昌英的劇作《孔雀東南飛》。

袁昌英是上個世紀二、三十年代著名的女作家，先後執教於北京女子師範大學、武漢大學，與凌叔華、蘇雪林齊名。《孔雀東南飛》是她早期的代表作，內容襲用《古詩為焦仲卿妻作》。與另幾部同一題材的現代戲劇不同，作者一反男性視角，對故事中的焦母做了頗具新意的演繹。在她筆下，焦母並未被簡單化為拆散一段美滿姻緣的罪魁禍首，而是一位具有戀子情結、性格多重的母親形象。

我們習慣於把焦母這樣的人看成是封建禮教、封建家長制的代表，是劉蘭芝、焦仲卿愛情悲劇的製造者。但讀過原詩應該知道，焦母事先並沒有逼迫兒子休妻的意思。是劉蘭芝在焦仲卿面前抱怨，以回娘家相脅，焦仲卿在母親面前替妻子說話，焦母才說：「便可速遣之，遣去慎莫留。」當劉蘭芝盛裝、略帶示威地辭別，「母聽去不止」（一個版本是「阿母怒不止」）。「不止」是沒有阻止，不是攆她快走。

焦母看不慣劉蘭芝，但對焦仲卿卻是十分愛憐的，只是由於他「敢助婦語」，才表示「大怒」。看到兒子難過，她還安慰說：「東家有賢女，阿母為汝求。」最後悲劇的發生，也是她不願看到的，這便有了「兩家求合葬」的醒悟。她對劉蘭芝百般挑剔，甚至不顧兒子的婚姻幸福，原因如她自己所說：「此婦無禮節，舉動自專由。吾意久懷忿，汝豈得自由。」

她為什麼要憎恨兒子和媳婦的「自由」呢？媳婦的自由是不聽婆婆的話，兒子的自由是太聽媳婦的話，總之，媳婦有取代婆婆、成為這個家庭核心的趨勢，這是焦母不能容忍的。詩中沒有提到焦父，應是已經去世了。焦母與兒子相依為命，全部希望和愛都寄託在兒子身上，媳婦加入進來，原本的母子關係產生了微妙的變化。「小喜鵲，尾巴長，討了媳婦忘了娘。」這是傳統中國母親無奈的歎息，對於「夫死從子」的焦母，感觸更深。

中國傳統女性的人生目標是「相夫教子」，是「賢妻良母」。丈夫來自「父母之命、媒妁之言」，是被動接受的，兒子卻是自己一手養大的。好不容易「媳婦熬成婆」，兒子又娶了媳婦，還要「助婦語」，當娘的怎麼能不痛心？這種心理的失衡日益加劇，使許多「慈母」最終淪為「惡婆婆」，焦母只是其中的一個。

西方女性追求個人的愛情，中國傳統女性的情感則多在兒子那裏。西方心理分析認為兒子的潛意識裏有戀母情結，而中國傳統母親的潛意識中，也可以說有一種戀子情結。佛洛伊德按西方文學形象，把戀母情結稱作俄狄甫斯情結；我們是否可以按中國文學形象，把戀子情結稱作焦母情結呢？

蘇小妹及其他

蘇東坡的妹妹，即那個人稱蘇小妹的女子，實際上是一個虛構的人物。憑空捏造的「蘇小妹三難新郎」的故事，卻流傳極廣。特別是馮夢龍《醒世恒言》中收錄了基本定型的本子後，這個故事更成了人們茶餘飯後津津樂道的趣談。

故事將蘇小妹的新郎，派定為蘇東坡門下四學士之一的秦觀。這位以詞壇情聖著稱於世的大才子，在新婚之夜，竟然被蘇小妹出的一副對子的上聯難在門外。他必須對出下聯，才被允許進入洞房。他搜腸刮肚，終難如意，後來還是蘇東坡助了他一臂之力。兩位大文豪合起來對付一個小女子，蘇小妹的才華可想而知。故事中還說，蘇東坡親口贊道：「妹若生為男兒，名氣當勝乃兄。」

我也寧願相信這個美妙的傳說是真實的，可是，沒有任何可信的史料提到蘇東坡有這麼一個妹妹。在蘇東坡給弟弟蘇轍的信中，多次提到秦觀，卻沒有一句表明他們之間有親戚關係。據考證，秦觀二十九歲時娶妻徐氏，而非蘇氏。秦觀是娶妻後，才得遇蘇東坡的。蘇東坡即便真有這樣一位才女妹妹，秦觀初遇蘇東坡時，她也應該是四十歲左右了。

明清之際，名媛才女的詩詞一度甚為風靡。匿名作者創造了蘇小妹這一多才多藝的女性形象，多少迎合了時尚，也無疑會受到當時讀者的歡迎。而故事中，舊式的「才子佳人」演變成了新式的「才子才女」，是最值得注意的現象。其中是否包含某種重要的資訊，很有必要做些分析研究。我甚至懷疑，這個故事是不是某位女性編造出來的？

事隔好幾百年以後，英國女作家佛吉尼亞・伍爾芙也為她們國家的大文豪莎士比亞假想了一個妹妹。在那部現代女性主義的名作《一間自己的屋子》中，伍爾芙想像莎士比亞有一位天才的妹妹，給她取名裘底斯。那會有什麼事發生呢？伍爾芙假設了種種可能，但結果無非是，莎士比亞會一步又一步走向成功，莎士比亞的妹妹將面臨一次又一次的失敗。伍爾芙認為，在莎士比亞時代，一個女子若是有特殊的天才，一定會發狂，自殺，或是終其一生於村落外一所寂寞的小草屋裏，半像女巫，半像妖魔，被人怕，被人笑。更為悲觀的判斷是，在莎士比亞時代，任何女人會有莎士比亞那樣的天才，簡直是不可想像的。因為當時的社會，根本沒有給兩性的成長，提供同等的條件和機遇。伍爾芙最後說，那個在傳記中找不到的莎士比亞的妹妹，很年輕就死了，可也許就活在今天某些女性的身上。給她們每人每年五百英鎊，給她們每人「一間自己的屋子」，莎士比亞的妹妹便會轉生、會復活。

莎士比亞的妹妹被設想得讓人心酸，但是，仔細想一想那句據稱是蘇東坡說的話，「妹若生為男兒，名氣當勝乃兄」，你不覺得，身為女性，蘇東坡妹妹的身世也同樣是不幸的嗎？

李清照「愁」什麼

康正果先生《風騷與豔情》一書中寫道：「朱淑真和李清照都是仕宦家庭的婦女，她們都沒有衣食之憂和勞碌之苦，她們的作品主要表現了上層婦女的閒愁暗恨，其中多多少少都摻和著『為賦新詞強說愁』的成分。」這段話很有問題。沒有衣食之憂和勞碌之苦，是不是還應有更高的精神追求？物質的缺失讓人憂愁，情感的缺失更令人憂愁。朱淑真嫁了一個市井庸夫，終生抑鬱，故詩中多憂愁怨恨。李清照呢？據說是婚姻美滿，那也只是與趙明誠的一段婚姻。宋都南遷、趙明誠亡故後，李清照作品中的國愁家恨，總不能說是「為賦新詞強說愁」吧。何況她後來還有再嫁張汝舟、旋即對簿公堂的經歷。

斯蒂芬・歐文研讀《金石錄後序》時，發現李清照與趙明誠之間情感的裂痕。原文前面寫夫婦二人共同收集、把玩藏品，都是純真美好的場景。後來，藏品收多了，建庫鎖了起來，李清照要看，還得向趙明誠「請鑰」。於是，她說「不復向時之坦夷也」，還說「余性不耐」。尤其讓她難過的是，戰亂期間，趙明誠獨自赴召離去，李清照問危急時怎麼辦，趙明誠的回答所關注的只是家用、藏品、宗器，對李清照本人的交待，只是要她在迫不得已的情況下殉節。李清照用「余意甚惡」一句，表達她當時的感受。最後，李清照竟然把丈夫對藏品的熱情，比之於梁元帝和隋煬帝的藏書癖。把藏品的價值置於親人的價值之上，與把藏書的價值置於國家的價值之上一樣，都是顛倒了價值的秩序，是有違人性的。——這自然是對《金石錄後序》的創造性闡釋，但關於李清照心境的分析，不能說沒有合情合理的一面。

李清照當然不同於一般所謂「怨婦」，她不僅文學才華超群，處事的決斷也不同尋常。趙明誠死後沒幾年，李清照再嫁張汝舟。此人是一附庸風雅的小人，李清照初為蒙蔽，婚後不久發現他的醜陋面目，便斷然以其在功名上作偽的罪名，告上公堂，後託人疏通，與之離婚。這件事雖然很快過去了，但給李清照晚年的精神世界留下重創，使她陷入更深的憂愁之中。

李清照的心靈史，實在是值得當今女性主義研究的話題。她追求人格的獨立、生命的珍視、愛情的真誠、女性的尊嚴。一些意識和行為，是許多現代女性都未能超越的。在那樣一個歷史背景和社會環境中，她的願望無法實現，是不言而喻的。女性角色的壓力，緣自社會，也緣自家庭；婚姻危機的擔憂，緣自張汝舟，也緣自趙明誠。一個覺醒的女性，無時無刻不身陷於男權的樊籬之中，於是只有終日與憂愁相伴。「凝眸處，如今更數，幾段新愁」、「只恐雙溪舴艋舟，載不動許多愁」、「這次第，怎一個愁字了得」，這許多感人至深的「愁」中，蘊涵著李清照悲劇人生中刻骨銘心的體驗，決不是什麼「為賦新詞強說愁」！

柳如是的《男洛神賦》

陳寅恪《柳如是別傳》中說:「今日綜合河東君作品之遺存者觀之，其中最可注意，而有趣味者，莫如《男洛神賦》一篇。」

柳如是的《男洛神賦》顯然是模仿曹植的《洛神賦》，可兩者立意有所不同。曹植說，他在洛水之濱，見洛神顯靈，姿容綽約，遂撰就此賦。他寫得吞吞吐吐，真幻難辨，讓人懷疑另有隱情，又讓人感到似有寄託。柳如是則爽快多了。她知道某些讀者會以「寓言」視之，便在序裏明確指出，賦中以洛神喻所歡，「真者也」。

那麼，《男洛神賦》是為誰而作呢？據陳寅恪的考證，柳如是的「男洛神」即詩人陳子龍。當時，柳如是被「吳江故相」周道登遣出，由婢妾而淪為樂伎，與「雲間孝廉」陳子龍交往頻繁，以至同居。柳如是有意歸陳，但遭陳妻反對，後悻然離去。

《別傳》又說:「然則男洛神一賦，實河東君自述其身世歸宿之微意，應視為誓願之文，傷心之語。當時後世，竟以佻達遊戲之作品目之，誠膚淺至極矣。」柳如是寫《男洛神賦》，向陳子龍示愛，何以不是「遊戲之作」？細讀原文，特別是與它的前文本《洛神賦》參照，我們會發現，《男洛神賦》確實不同凡響。

首先，曹植像中國古代許多男性詩人一樣，對待女性的態度頗為曖昧；柳如是對既敬又愛的男性的仰慕，則絲毫不加掩飾。再者，曹植是偶遇洛神，柳如是則將自己設定為求愛者，去追尋男洛神。曹植開篇即讓洛神出場，柳如是開篇則是女詩人上下求索，一番追逐，男洛神被其情真意摯感動，才緩緩現身。接下來，柳如是以曹植描繪洛神的筆墨，精心描繪了男洛神的丰姿。她的修辭技巧雖不脫傳統的俗套，但由於性別角色的顛倒，給人一種「陌生化效果」。我們見慣了男性作家讚賞女性的美，卻從沒見過女性作家頌揚男性的美。女性表達愛情，傳統上都是直抒胸臆，似乎還沒見過柳如是這樣詳盡細緻地描繪情郎姿色的。正如孫康宜女士《陳子龍柳如是詩詞情緣》中所言：「賦中這一幅男性美，乃是從女人的角度來看待，本身更是在以新的觀點呈現男女關係的另一面。」

柳如是不僅在《男洛神賦》中顛覆了情詩的傳統，泯滅了男女的界限，在現實生活中，她也沒有認同社會所設定的性別角色的成規，而自甘女性的弱勢。尤其在擇偶問題上，她更是大膽主動。與陳子龍的交往，是以她前往拜訪、遞上自稱「女弟」的名片開始的。她寫給汪然明的三十一封尺牘，也都以「弟」自稱。後來，她還身著男裝獨自走訪錢謙益的半野堂。那幅《河東君初訪半野堂小景》，畫的就是當時儒生打扮的柳如是。王國維曾有詩贊道：「幅巾道服自權奇，兄弟相呼竟不疑。莫怪女兒太唐突，薊門朝士幾鬚眉。」

「薊門朝士幾鬚眉」，確實如此。陳子龍靠不住，錢謙益不夠格，柳如是一心嚮往的「男洛神」，始終沒有在她的生活中現身過。

李漁論蔬食之美

坊間正在銷售一套「重讀李漁叢書」，由余秋雨先生作序推薦。按理說，余秋雨和李漁是從事戲劇的同行，他來推薦，很合適。可這套書只是對李漁《閒情偶寄》中「聲容部」的「解讀與解構」，內容僅涉及對女色的鑒賞。

《閒情偶寄》一書分詞曲、演習、聲容、居室、器玩、飲饌、種植、頤養八部，是一冊關於生活享樂的大全或指南。其中論及戲劇創作和表演的詞曲部、演習部最有價值；論及妝飾打扮的聲容部，由於其男性本位，視女性為玩物，常為人詬病。其實，就是嫌戲劇理論過於專業，也不至於非得介紹聲容部來迎合某些人的低級趣味。像論飲食烹調的，也可用來培養雅潔的嗜好。周作人曾說：「若以《隨園食單》來與《飲饌部》的一部分對看，笠翁猶似野老的掘筍挑菜，而袁君乃彷彿圍裙油膩的廚師矣。」

李漁將日常最基本的食物分為蔬食、穀食、肉食三類，進而提倡「後肉食而首蔬菜」。他說：「聲音之道，絲不如竹，竹不如肉，為其漸近自然。吾謂飲食之道，膾不如肉，肉不如蔬，亦以其漸近自然也。」他認為飲食首推蔬菜，也就是崇尚自然，而這種風氣源於上古，所謂「草衣木食，上古之風」。因此，如果人能夠疏遠肥膩，親近蔬食，如同腹中菜園不使羊來踏破，如同回到了羲皇、唐虞時代。

李漁還說：「論蔬食之美者，曰清，曰潔，曰芳馥，曰鬆脆而已矣。」而蔬食的「至美」，能居肉食之上的，只在一個「鮮」字。蔬菜之所以有鮮味，也正是因為來自自然。在蔬菜中，李漁又推筍為第一，就是因其長在山林之中，最近自然：「至於筍之一物，則斷斷宜在山林，城市所產者，任爾芳鮮，終是筍之剩義。此蔬食中第一品也，肥羊嫩豕，何足比肩。」

與蔬食相比，李漁主張肉食以少食為宜。《飲饌部》中雖有專章列舉肉食，卻提醒天下之人，多食不如少食，因為「以肥膩之精液，結而為脂，蔽障胸臆，猶茅塞其心，使之不復有竅也」。這話說得很有道理，「後肉食而首蔬菜」的飲食結構，既能夠保證人體正常的營養需要，同時又避免由於過多地攝入高脂肪、高蛋白而引起心血管疾病，完全符合現代營養學的觀點。

李漁提倡首蔬菜、後肉食，還有另一層動機，即「止崇儉嗇，不導奢靡」。在論述瓜、茄、瓠、芋、山藥等蔬菜的特性時，李漁便注意到節儉問題。他指出這些蔬菜不止可當菜，也可當飯，增加一盆菜，可省掉幾碗飯。如此想法，今天看來不可思議。他還認為，人既生口腹，就會生出許多嗜慾，慾壑難填，切不可「逞一己之聰明，導千萬人之嗜慾」。

現今人們都不僅要吃飽、而且要吃好了。介紹點李漁的蔬食觀，讓人了解蔬食之美、飲食之道，是十分必要的。至少比介紹他怎樣鑒賞女色，誘人飽暖思淫慾，要好一些吧。

秦可卿的原型

劉心武先生新著《畫梁春盡落香塵——解讀〈紅樓夢〉》，是一部頗為有趣的書。尤其是關於秦可卿的那部分，充滿了奇思妙想。

脂硯齋批文裏稱，《紅樓夢》十三回原目為「秦可卿淫喪天香樓」，是他覺得不妥，命作者做了刪改。曹雪芹雖刪去一些重要情節，卻沒有把上下文中相關的細節都抹掉。有紅學家根據這些線索，對原稿作了推測。電視連續劇《紅樓夢》中的這一段，便是採用了當時紅學研究的成果。

劉心武走的是「索隱派」的路子，即考證塑造秦可卿這一角色所依據的現實生活中的原型。據他說，這位被下人抱回的棄嬰、長大後給賈蓉做媳婦的秦可卿，原是康熙皇帝廢黜的太子胤礽的小女兒。如此才能將秦可卿在賈府那樣得寵、死後連大太監戴權和北靜王都親來上祭等解釋得通。《紅樓夢》中稱，收殮秦可卿的棺木「原是義忠親王老千歲要的，因他壞了事，就不曾拿去」。劉心武認為，這「壞了事」的「老千歲」便是被廢太子胤礽。賈府收養胤礽之女，原是為了在宮廷爭鬥中留有餘地，但這也成了「家事消亡首罪寧」的肇端。劉心武還由此演繹了一篇探佚小說《秦可卿之死》。

作家想像力豐富，敍述又有文采，小心求證處雖顯不足，大膽假設的卻都能合情合理，讀來令人嘆服。意猶未盡之際，不免想提供對秦可卿的另一種解讀，以資談助。

原型一詞，在「索隱派」那裏是指角色所影射的真人，而在現代文藝學的「神話—原型批評」裏，則是指某一民族文化傳統中常常出現的、包涵著某種集體無意識的形象。按這一理論，秦可卿可歸入中國文學傳統裏的「神女原型」一類。

賈寶玉睡在秦可卿的臥床上做了一個夢，夢見秦可卿帶他見到警幻仙姑，警幻仙姑又將妹妹引見給他，這妹妹也名叫可卿。秦可卿、警幻仙姑及其妹妹，實際上是三位一體的。警幻仙姑出場時有一賦，係仿曹植《洛神賦》，而《洛神賦》又是源自宋玉《高唐賦》、《神女賦》。由此上溯到原始社會的巫伎（類似所謂「薩滿」），那才是這一系列「神女」形象的源頭。民間所謂七仙姑、八仙姑乃至三仙姑，從某種意義上講，也屬這一原型的流變。

「神女原型」須具備三要素：夢，預言和性。在《紅樓夢》小說裏，現實世界中的秦可卿，即夢中的警幻仙姑及其妹妹，正引導著這三者。賈寶玉遊太虛幻境是夢；金陵十二釵畫冊、紅樓夢十二支曲是預言；初試雲雨情是性。後來，秦可卿托夢王熙鳳，也正體現了「神女原型」中夢和預言的功能。

由「索隱派」的路徑，可見人物的取材來源；由「神話——原型批評」的路徑，可見角色的傳統文化來源。秦可卿這一形象經得起多重的解讀，真可謂「橫看成嶺側成峰」。難怪包括劉心武在內的某些人，要把關於秦可卿的研究誇張地稱為「秦學」。

胡適的婚戀觀

近日讀報，見有人談及最新出版四十四卷本《胡適全集》的亮點，特別提到胡適與韋蓮司的英文通信。而幾年前，周質平先生所著《胡適與韋蓮司：深情五十年》及其編譯《不思量，自難忘：胡適給韋蓮司的信》，先後都曾在大陸出版過。胡適與一位美國女性長達五十年的深情厚誼，早已為讀者嘖嘖稱羨。

胡適初到美國留學時，對所謂美國式的婚戀觀是有所抵觸的。他甚至認為自由婚姻會導致子女不贍養父母，而中國式的包辦婚姻能培養青年人的守常、忠貞、純潔之心。但沒過多久，他便試圖改變刻意苦行的生活態度，開始與異性交往。

韋蓮司，一個決定獻身藝術、有些另類的美國女生，與胡適由一般的同學而成為親密的友人。一個晚上，胡適來到韋蓮司的寓所，親昵的氣氛使他情不自禁，欲行男女之事。不料，遭到韋蓮司的「峻拒」，雙方陷入尷尬的境地。幾天後，胡適收到韋蓮司的一封長信，其中有言：「人類之間交流的精華是精神的，而非肉體的。」這話使胡適震驚。他在日記中寫道：「即在所謂最自由放任之美國，亦足駭人聽聞。」

當年年輕的胡適，正如我們今天某些人一樣，以為自由便是放任、乃至放縱，才會貿然行事。其實，再開放的社會也不會主張人可以隨心所欲、為所欲為。提倡婚姻自由、甚至性自由，並不等於主張在男女關係上可以隨隨便便。不受拘束，不等於不分好歹、沒有顧忌。那些以自由的名義放蕩形骸的人，古今中外確有不少，但總有許多人是比較冷靜、比較清醒的。他們更看重精神的追求，而不是物欲或肉欲的滿足。韋蓮司的這封信，對於躍躍欲試的胡適，正如醍醐灌頂，使他翻然悔悟，重新恪守起「發乎情，止乎禮義」的古訓。

這一事件的後果，是胡適此後處理情感問題時，不自覺的帶有一種思維定勢。與江冬秀的結合，最初是出於對母親的孝心。而讓他做到有始有終、白頭偕老的，自然還得靠對妻子的責任和同情，以及對自己名聲的愛惜。對於陳衡哲，胡適最初不是沒有非份之想。給女兒取一個與陳衡哲筆名同音的名字，便能說明一切。因為苦苦追求陳衡哲而終成眷屬的任鴻雋也是自己的好友，他只能將未盡之緣淨化為純潔的友誼。在與曹珮聲的交往中，終因一時任情而越軌。可當危及家庭的穩定，胡適很快決定與之保持一定距離。

「非禮勿動」，可以說是胡適一生情感生活中的緊箍咒。一位新文化運動的領袖，終生為「封建禮教」所束縛，很多人覺得無法理解；一位自由主義知識分子的代表人物，從來不去追究自由的愛情，也讓人感到不可理喻。沿波討源，中國傳統文化理念根深蒂固以外，韋蓮司「峻拒」的理由，無疑也在胡適的心靈深處留下不可磨滅的印跡。

胡適在信中，稱韋蓮司是「導自己於正確航向之舵手」。這顯然是句「癡話」，且是泛泛而談，可從胡適婚戀觀的形成看，卻也不是空穴來風。

冰心輕看徐志摩

前些年，高恒文兄邀我合著《徐志摩與他生命中的女性》。書中提到，徐志摩在交際圈內頗能討女士的歡心，卻也有不以為然的，所指便是冰心女士。由於敍述體例的限制，當時語焉不詳。

當年北京文化名流中有所謂「四大名旦」，即吳文藻夫人謝冰心、陳西瀅夫人凌叔華、梁思成夫人林徽因、張歆海夫人韓湘眉。她們均出身名門，多才多藝，且活躍於各種文人聚會。後三位女士都與徐志摩有不同尋常的關係，只有冰心例外。徐志摩致陸小曼信裏有：「晚歸路過燕京，見到冰心女士，承蒙不棄，聲聲志摩，頗非前此冷傲，異哉。」想來冰心對徐志摩一向是拒之千里，所以偶作友好表示，也讓我們的詩人大驚小怪地「異哉」起來。

郁達夫對徵集徐志摩書信的趙家璧說：「大約志摩的信，以給適之、陳伯通、凌叔華、冰心、林徽因的為多，小曼更可以不必說。」這裏不是至友，就是妻子或情人，冰心的名字列在中間，有些扎眼。如果郁達夫所言確實，可能是徐志摩很想結交冰心，給她寫了許多信。抑或最初冰心與徐志摩有過一段頻繁的書信往來？至於變得「冷傲」了，還是後來發生的事？

徐志摩遇難後六天，冰心給梁實秋的信中寫道：「人死了什麼話都太晚，他生前我對著他沒有說過一句好話，最後一句話，他對我說的：『我的心肝五臟都壞了，要到你那裏聖潔的地方去懺悔！』我沒說什麼，我和他從來就不是朋友，如今倒憐惜他了，……談到女人，究竟是女人誤他？他誤女人？也很難說。志摩是蝴蝶，不是蜜蜂，女人的好處就得不著，女人的壞處就使他犧牲了。」那時，許多相關和不相關的女士都紛紛撰文悼念徐志摩，更有稱「志摩是人人的朋友」的，冰心的這段文字與她們正好形成強烈的對比。

兩年之後，冰心寫了短篇小說《我們太太的客廳》。明眼人一看便知，「我們太太」是暗指林徽因，而對「我們太太」大獻殷勤、並讓讀者感到兩人關係曖昧的「詩人」是暗指徐志摩。小說結尾寫客廳聚會的客人都往六國飯店赴宴、看西班牙舞去了，「詩人」卻單獨留下來，要陪「我們太太」去聽戲。恰在此時，「我們先生」回來了，「我們太太」又不去聽戲了，「詩人」只好沮喪地告辭。他聲稱要回「冷屋子」寫信去，還吟唱了一句「漸慣了單寒羈旅」，神情淒涼地離開。可出門跨上人力車，對車夫說的卻是：「走，六國飯店。」小說嘎然而止，諷刺的意味畢現無遺。

冰心與徐志摩並無什麼具體的過節，如此冷嘲熱諷，主要是看不慣他的作風。冰心晚年稱讚巴金，有一條特別的理由，即文壇中人不少都弄出些風流韻事，巴金卻不曾有過。用這樣的眼光來看徐志摩，自然不會有什麼好感。

梁實秋的「雅舍」

提起梁實秋的散文，立刻會想到《雅舍小品》。一九三九年，梁實秋在重慶北碚寫小品文時，便取了這麼一個總名，後來出集子時一直沿用。《雅舍小品》共出了四集，另有《雅舍雜文》、《雅舍談吃》、《雅舍憶往》等。可見梁實秋對「雅舍」兩字情有獨鍾。但和周作人的苦雨齋、豐子愷的緣緣堂不同，雅舍並非梁實秋私家所有。「雅」也並非我們望文生義的意思，而是取自一位女性的名字。

《雅舍小品》的第一篇，對雅舍的建築格局、所處位置、室內陳設及周圍景色有具體地描述，但對為何叫「雅舍」未曾交待，只是說「『雅舍』非我所有，我僅是房客之一」，「『雅舍』共有六間，我居其二」。當時，與梁實秋合住的是社會學家吳景超及其夫人龔業雅。後者即為《雅舍小品》作序的「業雅」，雅舍就是依她之名而取。

冰心《憶實秋》中說：「我們住在重慶郊外歌樂山，實秋因為季淑病居北平，就在北碚和吳景超、龔業雅夫婦同住在一所建在半山上的小屋，因為要走上幾十層的臺階，才得到屋裏，為送信的郵差方便起見，梁實秋建議在山下，立一塊牌子曰『雅舍』。實秋在雅舍裏懷念季淑，獨居無聊，便努力寫作。」冰心的話說得節制，且有意為朋友避嫌。關於當時寫作的情形，梁實秋晚年則有一段自白：「每寫一篇，業雅輒以先睹為快。我所寫的文字，雖多調侃，並非虛擬。所以業雅看了特感興趣，往往笑得前仰後合。經她不時的催促，我才逐期按時交稿。」他還說：「我生平不請人作序，但是這個小冊子我卻請業雅寫了一篇短序。」

梁實秋當年離別妻兒，隻身來到重慶，在教育部編譯館任編審，同時兼任中小學教科書編輯委員會主任。龔業雅也在這個委員會任職，專辦總務行政。她為人熱情豪放，頗得人緣。梁和龔不僅合購住宅，還常常舉辦聚餐會，一起下廚，招待友人。冰心記得初到重慶，是梁、龔二人前來接到雅舍歡聚的。同在編譯館的戴乃迭在自傳中也提到，她和楊憲益曾去跟梁、龔二人打麻將。

有人將梁實秋和龔業雅，比作胡適和陳衡哲、金岳霖和林徽因。僅從既保持感情又無越軌之舉看，是不錯的；考慮到各自事業和相互影響，便不盡相同了。陳衡哲、林徽因本人也是作家、學者，龔業雅卻不是。但是，沒有陳衡哲，還會有胡適的《嘗試集》；沒有林徽因，還會有金岳霖的《論道》；沒有龔業雅，自然沒有「雅舍」，至於梁實秋的《雅舍小品》會不會有，或會不會一直寫下去，都很難說。

歐洲文化史上常見一種女性，即歌德所謂「引我們上升」的「永恆的女性」。她們熱愛、支持、也引導天才。她們是作家、藝術家乃至思想家戀愛的對象，也是他們靈感的源泉。這種繆斯型的女性，在中國卻不多見。龔業雅或許可以算上一個？

戴望舒的三次婚變

戴望舒以《雨巷》一詩而蜚聲文壇，被人稱為「雨巷詩人」。那首詩開篇寫道：「撐著油紙傘，獨自／彷徨在悠長、悠長／又寂寥的雨巷，／我希望逢著／一個丁香一樣地／結著愁怨的姑娘。」這丁香一樣的姑娘，是一個詩化的象徵，也是詩人對現實生活中理想戀人的想像。然而，戴望舒生命中的幾位女性，沒有一位與他想像的類型相仿。

戴望舒第一次戀愛的對象叫施絳年，是他好友、後為《現代》雜誌主編的施蟄存的妹妹。戴望舒的第一部詩集《我的記憶》（其中收有《雨巷》），便是題獻給她的。但施絳年已有意中之人，只是在戴望舒苦苦追求、甚至決定跳樓殉情的情況下，才勉強由雙方家長出面，與戴望舒舉辦了訂婚儀式。她提出的結婚條件是，戴望舒必須出國取得學位並有穩定收入。這便是戴望舒赴法留學的直接原因。可戴望舒在國外時，施絳年與過去的戀人來往頻繁。戴望舒回國確認後，憤極之下，打了她一耳光，登報解除婚約。施絳年遂與舊情人結合。

不久，戴望舒與新感覺派小說家穆時英的妹妹穆麗娟相戀，旋即結婚。婚後直至移居香港最初一段日子，應該是美滿的。詩人後來在《過舊居》、《示長女》等詩中有溫馨的回憶。由於穆時英出任偽職被刺，穆母因思子成疾而故，戴望舒與穆麗娟的感情生活出現裂痕。穆麗娟返滬奔喪即未回港，其間又有遇一朱姓大學生追求的插曲，戴望舒果真演出了以身殉情的一幕，幸而被救。但穆麗娟情意已絕，戴望舒只得與之辦理分居協議。太平洋戰爭爆發，雙方音訊中斷。港滬通郵後，戴望舒寄去離婚契約及穆麗娟名下財產，並委託友人周黎庵代為照顧。穆麗娟後與周黎庵結為伉儷。周黎庵即不久前去世、擅寫掌故的周劭先生。

與穆麗娟因戰亂失去聯繫期間，戴望舒又與同在大同圖書印務局任職的楊靜結婚。其時，戴望舒三十七歲，楊靜年僅十六歲。年齡和性格上的差異，使他們婚後常有爭執。楊靜後與一蔡姓男子熱戀，向戴望舒提出分手。戴望舒竭力挽回，卻無濟於事。不過，因蔡某的妻子死活不肯離婚，楊靜離了婚，當時卻未能如願再嫁。戴望舒在北京病故，她還前往料理後事。

戴望舒的婚戀一次次以失敗而告終，令人同情。可平心而論，無論施絳年、穆麗娟還是楊靜，都只是渴望過一種普通人的生活，她們都有自由選擇的權利。造成悲劇的結局，戴望舒自己應該負主要的責任。他總是看不清想像與事實之間的差距，一廂情願，既不能事先做出正確的判斷和決定，在身陷困境時，又不能自我控制。他所推崇的唐代詩人李商隱，在這一點上要比他明智得多。在組詩《柳枝》中，李商隱憶及一段剛萌芽就夭折的戀情，既不勝惋惜又自我寬慰地說：「花房與蜜脾，蜂雄蛺蝶雌。同時不同類，那復更相思。」

潘玉良變形記

許多年前，有過一部傳記體的小說《畫魂》。書中有潘玉良的照片和自畫像，那模樣實在令人不敢恭維。後來，根據小說改編了一部同名電影，由鞏俐主演。到底是名演員，表演頗為神似。可惜在造型上未能做到形似，不像她在《秋菊打官司》裏那麼神形兼備。現在，中央電視臺播出的三十集同名電視連續劇中，演潘玉良的演員叫李嘉欣，據說曾獲得過「香港小姐」稱號。電視劇裏的形象更加光彩照人，更加儀態萬方，只是怎麼看也不像潘玉良了。

當年小說在雜誌上發表時叫《張玉良傳》，其實，潘玉良本來也不姓張，而是姓陳，被收養後才改姓張。潘贊化把她從妓院贖出後便改姓潘了。之後，在任何場合都稱潘玉良，美術史上也稱潘玉良。用她當妓女時的名字來稱呼，可見人們更感興趣的，還是這位畫家的出身。等到電影放映時，引起傳媒轟動的，已不再是潘玉良由青樓女到達官小妾、再到旅法畫家的傳奇一生，而是影片中的裸體鏡頭。這回電視劇的看點就更多了：妓院裏弄出了婚變，小妾如同當今的二奶，還出現多角戀愛、准同性戀……流行文化的時髦噱頭，應有盡有，好不熱鬧。

從小說到電影，再到電視劇，潘玉良的相貌越來越美麗，經歷越來越豐富，感情越來越細膩，那個真實的潘玉良漸漸消失無形了。真實的潘玉良長得不好看，據說舉止也不溫柔，嗓音也很粗，說話、做事都是直來直去，爽快且略顯潑辣。她學過京戲，唱得是黑頭花臉。對於當面恥笑她出身的人，曾毫不客氣地賞以耳光。她一生從沒有移情別戀，雖然晚年在法國與接濟過她的一個叫王守義的餐館老闆同居，她始終都自認是潘贊化夫人。她之所以離開潘贊化、離開祖國，是被潘贊化的原配妻子所排擠，並非人們臆想的，由於當時中國美術界容不得一個妓女出身的畫家。與潘玉良在國內共事同行，絕大多數都十分開明。

一位與潘贊化有過交往、也見過潘玉良的作家，後來在回憶中對這段奇緣表示困惑：像潘玉良這樣的人，是憑什麼讓潘贊化將她贖出妓院、供她學畫、送她出國的？如果按人物本來的面目寫一部小說、拍一部電影或電視劇，今天的讀者和觀眾也會感到不可思議的。妓女且有人為之贖身，必然是漂亮的、多情的；男女公開交往，必然會滋生多角戀愛；裸體繪畫，必然轟動一時，備受壓力；出身卑微，必然是為上層社會所不恥……我們的作家、導演正是在進行「合情合理」的藝術創造啊。

如果真的複製人物的本來面目，今天的讀者和觀眾會不會接受、會不會喜歡，都很成問題。人們總是習慣於按照自己的理解去創作，依據自己的趣味去欣賞。在理所當然的想像中滿足了慾望、兌現了期待，這已經夠了。在現今這樣一個娛樂與消費的時代，有誰還會去較真呢？

胡蘭成的一面之詞

胡蘭成的《今生今世》最近在大陸出版了。張愛玲的愛好者們對書中「民國女子」一章，是非常熟悉的。這會兒能看到全本，應該算一件幸事。可讀過之後，不免要生出許多疑惑。

首先讓人詫異的是，目前所有張愛玲傳記中，有關他們兩人的故事，竟然都是出自這本書。不僅如此，胡蘭成與別的女性的來往以及張愛玲的態度，甚至張愛玲的信，也都是胡蘭成這本書中所提供的。

胡蘭成大概不至於有意作偽，但任何敍述都有特定的視角，都不可避免地帶上敍述者的先見、成見、偏見。只要看一下書中有關佘愛珍的敍述，就會明白。這位上海灘大流氓的妻子，在別的書和電視劇中曾出現過。她的種種表現，與胡蘭成書中描繪的差距實在很大。如果別人來寫張愛玲，肯定也會與胡蘭成筆下的形象有所不同。

另外，胡蘭成對張愛玲究竟了解多少呢？胡蘭成以寫政論起家，他的「私人敍事」是受張愛玲的影響。他摹仿張愛玲的筆調來寫張愛玲，的確有些神似。「張愛玲是民國世界的臨水照花人」，這樣的句子一直為「張迷」們津津樂道。但他輕薄的秉性，使他無法企及張愛玲的蒼涼境界。他滿紙的「愛玲」，卻不知張愛玲說過：「因為『愛玲』這名字太難聽，所以有時簡稱『張愛』。」

有人說張愛玲當初讀到此書，並沒有異議，還讓胡蘭成把下卷寄給她呢。可這仍然是《今生今世》中提供的孤證。即便胡蘭成不曾撒謊，張愛玲也只是看了上卷沒有表態。上卷到「民國女子」一章為止，下卷才涉及到多角關係。張愛玲後來給夏志清的信裏寫道：「胡蘭成書中講我的部分纏夾得奇怪，他也不至於老到這樣。不知從哪裡 quote（引用）來的我姑姑的話，幸而她看不到，不然要氣死了。」《今生今世》下卷中的原話是：「愛玲亦不避嫌，與我說有個外國人向她的姑姑致意，想望愛玲與他發生關係，每月可貼一點小錢。」張愛玲不說自己生氣，而說姑姑要氣死了，正是她不願自我辯解又忍無可忍的一種表現。

張愛玲也曾為自己申辯過，一次是抗戰勝利後，有人說她是漢奸文人並牽涉到她的「私生活」，一次是有人誤認她的小說《色．戒》寫了她對漢奸的愛。張愛玲在大節面前，沒有含糊其詞。這兩次，又都帶著不願讓人聯想到胡蘭成的潛意識。而胡蘭成對自己的漢奸生涯，至死都沒有反省。

張愛玲晚年出版帶有自傳性的照片圖文集《對照記》中，根本找不到胡蘭成的影子。姑姑沒有留下相關的文字，炎嬰也沒有，現在只有聽任胡蘭成一個人去說了。張愛玲傳記的作者們，在沒有其他資料的情況下，也只有聽取胡蘭成的一面之詞。

據說一部名為《她從海上來——張愛玲傳奇》的電視連續劇，就要封鏡上演了。其間有關那段情感生活的描述，想來也不會超出《今生今世》以外。

方鴻漸結交女友的途徑

最近，中央電視臺將多年前拍攝的十集電視連續劇《圍城》，重又播放了一遍。我一面看，一面找出小說來讀，又有了一些新的感悟。

《圍城》的主題當然是多重的，但作品中著墨最多的還是戀愛與婚姻問題。整部小說，以主人公方鴻漸的戀愛與婚姻為主幹線索，圍繞他與不同女性的交往而展開。而方鴻漸與不同女性的不同交往途徑，還較為全面地反映了當時男女交往的社會風俗。

方鴻漸最初的未婚妻叫周淑英，是父親與在上海開銀行的同鄉周經理攀的親。方鴻漸並沒有見過她，只瞻仰過一張半身照片。方家下了聘金，周家也準備了陪嫁的款子，但這個未婚妻沒有過門就病逝了。這是典型的「父母包辦」。

留洋回國船上，方鴻漸認識了鮑小姐。兩人的交情「像熱帶植物那樣飛快的生長」，以至發生了關係。鮑小姐原是有未婚夫，回來結婚的，只是旅途寂寞，才把方鴻漸當著消遣的伴侶，在船到岸之前就不理他了。方鴻漸呢，也只是逢場作戲，沒有放在心上。這是一種「旅途豔遇」現象。

方鴻漸回國後，在周家銀行上班，有人替他做媒，介紹買辦張吉民的女兒。方鴻漸上門相親，張吉民滿口洋涇浜，致使方鴻漸連他女兒的外國名字都沒聽清，只覺得發音像是「你我他」。結果是雙方都不滿意，不了了之。後來在三閭大學，汪太太還給方鴻漸介紹過外語系主任的妹妹，也未成功。這些自然屬於「保媒相親」一類。

方鴻漸在上海住在周家，覺得生活無聊，想起同船回國的老同學蘇文紈，前去拜訪，得以結識蘇文紈的表妹唐曉芙。唐曉芙是方鴻漸理想中的女孩，所以一見面，方鴻漸便使出渾身解數，討她歡心。兩人由在蘇家沙龍式聚會中經常見面，發展到單獨約會。最後是蘇文紈作梗，兩人誤會，痛苦分手。這是一段由「社交往來」衍生出的戀情。

蘇文紈與方鴻漸同學時，並沒有把他放在眼中，回國後，卻有意於他。蘇文紈種種親熱的表示，方鴻漸是感覺到了。雖然他擔心這種誤會繼續下去，每次見到蘇文紈卻都被她牽著鼻子，控制不住局面。在一個月夜，他神不守舍地吻了蘇文紈，第二天又去信說自己愛的是唐曉芙，不是她。兩人遂反目成仇。這是發生在「同學之間」的故事。

在赴三閭大學的路上，方鴻漸結識同去任教的孫柔嘉。一路上有人提醒方鴻漸，小心孫柔嘉；到校後，又有人將他倆聯繫到一塊。方鴻漸開始還不以為然，後因教學和生活上的事，你來我往，漸漸地，方鴻漸陷入了孫柔嘉無形的網中，與之結了婚。這是「同事之間」的結合。

以上六種，幾乎囊括了當年異性交往的所有方式。從這個角度看，《圍城》可稱為那個時代婚戀風俗的全景畫卷。《圍城》日譯本改書名為《結婚狂詩曲》，出於對戰爭背景的避諱，卻不是完全沒有道理。

楊絳與家務活

《我們仨》引錢鍾書詩句，有兩處原是題贈楊絳本人的。有意思的是，那兩句均寫到家務活。現根據《槐聚詩存》，將兩首詩的全文抄錄於下：

遠行汗漫共乘槎，始識勞生未有涯。
從此翻書拈筆外，料量柴米學當家。

捲袖圍裙為口忙，朝朝洗手作羹湯。
憂卿煙火熏顏色，欲覓仙人辟穀方。

這兩首絕句寫的都是他們年輕時留學期間的事。新婚不久，倆人即遠赴重洋。楊絳一面求學，一面還得料理家務。錢鍾書見她辛勞，十分心痛，竟想學神仙辟穀，不食人間煙火，以免除忙碌。小夫妻間的恩愛，可見一斑。

楊絳接下來不無幽默地寫道：「電爐並不冒煙，他也不想辟穀。」事實上，錢鍾書也曾說過，神仙煮白石，吃了久遠不餓，是省事了，可多沒趣呀，他並不真的羨慕。只是楊絳自己心裏有時想，假如他倆不用吃飯，就更輕鬆快活了。

飯是要吃的，家務活又太讓人煩心，兩者之間很難協調。回國之後，只要條件允許，他們家都會雇人幫忙。《我們仨》及楊絳的其他文章中，就多次寫到先後在他們家幹活的保姆。試想一下，如果沒有這些保姆來從事家務活，楊絳在教學工作以外，還要從事文學創作和翻譯，怕要艱難得多了。

儘管在戲劇、散文、小說、翻譯等領域都有突出的成就，楊絳仍常常謙遜地說：「我不過是錢鍾書夫人。」她為錢鍾書而自豪。再繁重的家務活，她也從來沒有抱怨過。當年錢鍾書要寫《圍城》，不巧女傭又走了，楊絳便將全部家務自己承擔了。她在《記錢鍾書與〈圍城〉》中說：「劈柴生火燒飯洗衣等等我是外行，經常給煤煙染成花臉，或熏得滿眼是淚，或給滾油燙出泡來，或切破手指。可是我急切要看鍾書寫《圍城》，做灶下婢也心甘情願。」

但是，如果有人真的僅僅把她當作錢鍾書的夫人，要她專門去做家務事，她會不高興的。《我們仨》中就有這樣一段記載。文化大革命時期，錢鍾書參加毛澤東詩詞的翻譯工作。因環境簡陋，有人反映上去，江青傳來話說：「鍾書同志可以住到釣魚臺去，楊絳同志也可以去住著，照顧鍾書同志。」楊絳的第一反應便是不客氣地回了句：「我不會照顧人，我還要阿姨照顧呢。」

知識女性中，有楊絳這樣天資和成就的，並不多見。許多有天資的女性，為家務活拖累，自己不得不做出犧牲；許多有成就的女性，將家務事拋開，常常又犧牲了家庭。現代職業女性的苦惱和困惑，在楊絳這兒似乎被輕鬆地化解了。嫁了一個能互相體貼的丈夫，能請得起保姆，這些外在的條件除外，在家庭事務和個人事業間保持一種平衡的心態，是至關重要的。不要迴避家務活，也不要身陷其中。既奉獻，又獨立。楊絳正是掌握了這當中的平衡，才能集賢妻良母和作家、翻譯家於一身。她才是一位真正令人羨慕的成功女性。

傅雷的理財之道

我沒有收集版本的癖好，但見到遼寧教育出版社新出的《傅雷家書》，還是買了一本。這一方面是因為此書較我原有三聯書店版的增加了八萬多字，並穿插了大量照片；另一方面也是想藉機重溫一下這部曾令我感動的書。

儘管書中許多關於藝術和人生的闡述，今天看來仍是至理名言，卻讓我有了恍若隔世的感覺。現在吸引我的，已不是人生哲理、藝術經驗、中西文化比較之類，而是以前從未留意過的日常瑣事，例如「安排收支等等的理財之道」。

在一九六四年三月一日的信中，傅雷寫道：「『理財』，若作為『生財』解，固是一件難事，作為『不虧空而略有儲蓄』解，卻也容易做到。」他所謂理財，不是指發財，也不是指守財，而是指生活有條理，收支相抵而略有剩餘。他對傅聰說，古往今來的藝術家，多半不會生活，不是他們的光榮，而是他們的失敗。失敗的原因並非真的對現實生活太笨拙，而是不去注意理財之道。其實，只消把對付藝術的注意力拿出一小部分來應付一下，就綽綽有餘了。在傅雷看來，要保持藝術的尊嚴、人格的獨立，控制物質更成為最迫切、最需要的先決條件。光是瞧不起金錢不解決問題，相反，正因為瞧不起金錢而不加控制，不會處理，臨了竟會吃金錢的虧，做物質的奴役。

傅雷是這麼對兒子說的，自己也是這麼做的。他家衣食住行的固定開支，每月要多少，零用錢要多少，都以量入為出的原則做出計畫，然後嚴格執行。在最困難的時候，曾經把每月的每一筆開支，分別裝在信封內，寫明「伙食」、「水電」、「圖書」等等。一個信封內的錢用完了，決不挪用別的信封內的錢，更不提前用下個月的錢。

這些家用的賬目，現在當然看不到了。不過，去讀傅雷給黃賓虹的信，還是可以見識他理財方面一貫的嚴謹。一九四三年，傅雷淪陷上海期間為黃賓虹操辦了首次個人畫展。展出的作品都是黃賓虹從北平寄來，由傅雷全權處理所有事務，包括確定畫的售價。傅雷在通信中將來往賬目一筆一筆算得清清楚楚，儼然一位精細的藝術經紀人。

最觸目驚心的一份帳單，應是新版《傅雷家書》最後影印的那封遺書。傅雷在決定結束生命之際，所交待的竟然都是些錢財之事：「一、代付九月房租五十五元二角九分（附現款）。……三、故老母餘剩遺款，由人秀處理。……五、六百元存單一紙給周菊娣（保姆），作過渡時期生活費。……六、姑母傅儀寄存我們家存單一紙六百元，請交還。……八、姑母傅儀寄存我們家之飾物，與我們自有的同時被紅衛兵取去沒收，只能以存單三紙（共三百七十元）又小額儲蓄三張，作為賠償。……十一、現鈔五十三元三角，作為我們火葬費。」

連火葬費都預付了，古今中外如此「理財」的，能有幾個？

辛笛的雙重身分

前些時候去南京，董寧文兄送我一套他們主編的《開卷文叢》，第一冊便是辛笛的《夢餘隨筆》。這應該是辛笛生前出版的最後一本書了。

熟悉中國現代詩的人知道，辛笛是「九葉派」的重要詩人。他早年留學英國，親炙現代主義大師艾略特（T. S. Eliot）。他的詩既得到西方現代派的真傳，又帶有濃郁的唐宋詩詞的韻味。在大陸，穆旦名聲更大；而在港臺，辛笛更有影響。臺灣好幾位知名的現代詩人都私淑於他。

在中國現代著名詩人中，辛笛顯得特別與眾不同的，不是他的詩藝，而是他的職業。僅僅靠寫詩不能養活自己，許多詩人都有兼職。而他們所從事的多是與文學、文化相關的鄰近職業，辛笛所從事的職業則與他詩人的身分極不相稱。

晚年的辛笛曾模仿阿 Q，開玩笑地說：「咱們以前闊過。」這話一點沒誇張。上個世紀四十年代，辛笛一直擔任上海一家銀行的高級英文秘書及其下屬信託部的主任。他不僅有自己的別墅、轎車，還有專職的司機、廚師。他經常宴請文藝界友人。《我們仨》中提到，錢鍾書夫婦便常去他家和朋友相聚吃飯。《吳宓日記》中記載，吳宓由川來滬，辛笛款待以豐盛的宴席，還將車子供他用了一天。憑著職務之便，辛笛以大量貸款支持了巴金的文化生活出版社，鄭振鐸、李健吾的《文藝復興》，臧克家、曹辛之的《詩創造》，以及他自己參與的《中國新詩》。這些出版物，正是當年新文學的重要園地。解放後，辛笛將十五萬餘元美金的資產捐贈國家，並婉拒文藝工作的崗位，由銀行轉業到工商部門，先後在上海啤酒廠、煙草公司、副食品公司等單位任副廠長或副經理。

詩人和商人，在一般人心目中是截然不同、甚至相互對立的職業。詩人要超脫，商人講實利，很難將兩者結合起來。在西方能做到這一點的，恐怕只有美國的斯蒂文斯（Wallace Stevens）一人。他本人的職業是律師，三十年代起任一家保險公司副經理。人們對他既是一位成功的詩人，又是一位成功的商人，驚奇不已。在中國，辛笛也為我們提供了一個集詩人和商人於一身的範例。

現代社會是一個「市場化」的社會，連「知識」也成為「經濟」了。今天的詩人早被擠到邊緣的邊緣，不再是大眾關注的焦點。詩集賣不掉，詩人養不活自己，屬於正常。更有甚者，大學生畢業求職時，指導老師會提醒他，不要跟用人單位說你發表過詩，不要把你寫的那些後現代主義的詩給公司老闆看，否則人家會不願錄取你的。

詩不容於市場到如此地步，原因有許多。詩人一味高蹈，商人一味勢利，可能是最主要的因素。其實，在商業氣息日益濃厚的時代，保持「詩意地棲居」的夢想，詩人不迴避經濟問題，商人能有詩的靈性，不是很好嗎？想到這些，不禁令人更加懷念起辛笛來。

新鳳霞的戲外戲

《新鳳霞回憶錄》早年見過，大概只是翻了翻，內容已記不清了。近讀《我有兩個祖國——戴乃迭和她的世界》，見其中有戴乃迭撰寫的《〈新鳳霞回憶錄〉前言》。原文是為該書英譯本寫的，首次譯為中文。戴乃迭夫婦與新鳳霞夫婦是至交，文章敍述的一些細節較為真切、生動，如寫新鳳霞與吳祖光相愛的那些片段。

據稱，是新鳳霞主動追求吳祖光的。他們最初相識，是因為吳祖光受《新觀察》雜誌的委派前來採訪。新鳳霞正忙著排戲，吳祖光便借請她吃飯之際，一邊進餐一邊採訪。這第一次接觸，兩人都留下很好的印象。新鳳霞後來對戴乃迭說：「他很欣賞我的坦率和天真。我喜歡他長得好，為人實在，有學問。跟我過去認識的那些粗人相比，他真好，真和氣。」

新鳳霞唱戲，一向受到母親的呵護。她母親曾經指望自己天才的女兒能嫁給有錢人做妾，那是舊時代女藝人最好的出路。解放後，又有人想將新鳳霞介紹給一位頗有地位的人。但新鳳霞的心中自有主張，戲文裏「才子佳人」的婚戀模式，一直是她的夢想。她想嫁的，是一位文化人，一位亦師亦友的先生，吳祖光正是最佳的人選。於是她主動去找吳祖光，請他幫助寫會議發言稿。一來一往，終於有一天，新鳳霞對吳祖光說：「我嫁你好不好？」吳祖光一時驚訝得說不出話來：「我得想想。」「想什麼？」「我得對你負責任，對生活負責任。」

吳祖光寫過一齣有名的話劇《風雪夜歸人》，內容是一段梨園愛情。男主人公是位名角，他一開始便被告誡：「你得回家去好好想想……想明白了。」吳祖光現在自己也身陷梨園之戀，儘管身分顛倒了，這回女主人公是位名角，但他一定與自己筆下的人物有同感：「想一想從來沒有想過的事情。成人，成鬼，變佛，變妖，就在你一念之轉。」

新鳳霞與吳祖光一個是演戲的，一個是寫戲的，他們不覺之中也彷彿成了戲中的角色。新鳳霞一心要演一齣「才子佳人」的好戲，吳祖光則面臨自己劇中所寫的「靈魂的追問」。這正應驗了王爾德的那句名言：「不是藝術模仿人生，而是人生模仿藝術。」

新鳳霞夫婦在戲劇的領域裏有突出的表現，在人生的舞臺上也能發揮得淋漓盡致。他們像戲裏唱的「有情人終成眷屬」之後，也歷經磨難。一九五七年，吳祖光被打成右派，有人催新鳳霞跟他離婚，不然後果嚴重。新鳳霞拒絕了。她對吳祖光說：「我決不離開你，決不辜負你。王寶釧守了十八年，我要等你二十八年，等你一輩子。」她演戲演得太投入了，已經進入一種人、戲不分的境界。

人生本來就是一場戲，只是我們許多人僅僅視演戲為作假、為作秀，或視人生如同兒戲。像新鳳霞那樣認真地去演繹人生的，卻不多；而像她那樣將人生演繹得如此精彩的，就更少了。

《天津青年報》二〇〇三年九月～二〇〇四年二月

國家圖書館出版品預行編目

開卷有緣——桑農讀書隨筆 / 桑農著. -- 一版.
-- 臺北市：秀威資訊科技, 2010.07
面； 公分. -- (語言文學類；PG0383)
BOD 版
參考書目：面
ISBN 978-986-221-496-1(平裝)

1. 讀書 2. 文集

019.07 99009665

語言文學類 PG0383

開卷有緣——桑農讀書隨筆

作　　者 / 桑　農
主　　編 / 蔡登山
發 行 人 / 宋政坤
執行編輯 / 林世玲
圖文排版 / 陳宛鈴
封面設計 / 陳佩蓉
數位轉譯 / 徐真玉　沈裕閔
圖書銷售 / 林怡君
法律顧問 / 毛國樑　律師
出版印製 / 秀威資訊科技股份有限公司
台北市內湖區瑞光路 583 巷 25 號 1 樓
電話：02-2657-9211　　傳真：02-2657-9106
E-mail：service@showwe.com.tw
經 銷 商 / 紅螞蟻圖書有限公司
台北市內湖區舊宗路二段 121 巷 28、32 號 4 樓
電話：02-2795-3656　　傳真：02-2795-4100
http://www.e-redant.com

2010 年 7 月 BOD 一版
定價：280 元

讀　者　回　函　卡

感謝您購買本書，為提升服務品質，煩請填寫以下問卷，收到您的寶貴意見後，我們會仔細收藏記錄並回贈紀念品，謝謝！

1.您購買的書名：＿＿＿＿＿＿＿＿＿＿＿＿＿＿

2.您從何得知本書的消息？

□網路書店　□部落格　□資料庫搜尋　□書訊　□電子報　□書店

□平面媒體　□ 朋友推薦　□網站推薦　□其他＿＿＿＿＿

3.您對本書的評價：(請填代號　1.非常滿意 2.滿意 3.尚可 4.再改進)

封面設計＿＿　版面編排＿＿　內容＿＿　文/譯筆＿＿　價格＿＿

4.讀完書後您覺得：

□很有收獲　□有收獲　□收獲不多　□沒收獲

5.您會推薦本書給朋友嗎？

□會　□不會，為什麼？＿＿＿＿＿＿＿＿＿＿＿＿＿＿＿＿＿＿

6.其他寶貴的意見：＿＿＿＿＿＿＿＿＿＿＿＿＿＿＿＿＿＿＿＿＿

＿＿＿＿＿＿＿＿＿＿＿＿＿＿＿＿＿＿＿＿＿＿＿＿＿＿＿＿

＿＿＿＿＿＿＿＿＿＿＿＿＿＿＿＿＿＿＿＿＿＿＿＿＿＿＿＿

＿＿＿＿＿＿＿＿＿＿＿＿＿＿＿＿＿＿＿＿＿＿＿＿＿＿＿＿

讀者基本資料

姓名：＿＿＿＿＿＿＿＿＿＿　年齡：＿＿＿　性別：□女 □男

聯絡電話：＿＿＿＿＿＿＿＿　E-mail：＿＿＿＿＿＿＿＿＿＿

地址：＿＿＿＿＿＿＿＿＿＿＿＿＿＿＿＿＿＿＿＿＿＿＿＿

學歷：□高中(含)以下　□高中　□專科學校　□大學

□研究所(含)以上 □其他＿＿＿＿＿＿＿

職業：□製造業 □金融業 □資訊業 □軍警 □傳播業 □自由業

□服務業 □公務員 □教職　□學生 □其他＿＿＿＿＿

請貼
郵票

To：114

台北市內湖區瑞光路 583 巷 25 號 1 樓

秀威資訊科技股份有限公司　　收

寄件人姓名：

寄件人地址：□□□

(請沿線對摺寄回,謝謝!)